Klimplanten

DE CHARME VAN DE 'VERTICALE' TUIN

HANNEKE VAN DIJK

ZUID
BOEKPRODUKTIES

© 1995 Zuid Boekprodukties, Lisse
tekst: Hanneke van Dijk
omslagontwerp en lay-out: Ton Wienbelt, Den Haag
fotoredactie: Marieke Uiterwijk, TextCase
redactie en produktie: TextCase, Groningen
zetwerk: Ton Persoon, Den Haag

ISBN 90 6248 788 2

Inhoud

Waarom nemen we klimplanten?

Klimplanten geven de tuin een extra dimensie doordat we niet alleen de grond gebruiken, maar ook de wanden. Zijn er geen wanden? Geen nood, dan maken we ze speciaal voor de planten.

Klimplanten kunnen heel nuttig zijn om een lelijk bouwsel met een groen waas te bedekken. Maar ze kunnen ook juist de schoonheid van een gebouw benadrukken. Ze hebben vaak iets romantisch. Een huis dat bedekt is met wingerd die alleen de ramen en het dak vrij laat, is een heel ander gezicht dan een kaal, onbegroeid huis. Het enige –en dat is dan ook echt het enige– nadeel van klimplanten kan zijn dat ze zo hard groeien, dat we als het ware een gevecht moeten leveren om ze in toom te houden. Maar gelukkig hebben lang niet alle klimplanten zo'n enorme groeikracht.

De juiste keuze Het is heel belangrijk om de juiste klimplanten te kiezen. Kies geen fors groeiende bruidssluier, *Polygonum aubertii,* om een mooi wandje van trellis te laten begroeien. Binnen de kortste keren is er van de trellis niets meer te zien, evenmin van de muur erachter en al helemaal niet van de klimplanten die ernaast staan. Zo'n wilde groeier moet de ruimte hebben, dan is het een fantastische plant. Voor de trellis kan beter een clematis of kanariekers, *Tropaeolum peregrinum,* worden gekozen, zodat er nog iets van de achtergrond te zien blijft. Klimplanten kunnen op plaatsen groeien waar geen ruimte is voor een andere plant, omdat ze de lucht in gaan of als een waterval naar beneden tuimelen. Van deze laatste eigenschap kunnen we op een balkon gebruik van maken. Een klimop in een grote bak geplant, kan zo een groen gordijn vormen. Klimplanten kunnen een gevel van een

Een bruidssluier is een fors groeiende klimmer die te wild is om er een wand van trellis mee te laten begroeien.

Bang voor klimmers

huis begroeien, een groene afscheiding vormen of door bomen en struiken klimmen. Maar klimplanten hoeven niet te klimmen, ze kunnen ook als bodembedekker worden gebruikt. Uitstekende bodembedekkers zijn bijvoorbeeld de vaste lathyrus, *Lathyrus latifolius*, en Oostindische kers, *Tropaeolum majus*. Er zijn zoveel verschillende klimplanten dat het verbazingwekkend is dat ze niet meer worden aangeplant. Dat zal ongetwijfeld komen door de onbekendheid met de mogelijkheden en de variatie en: onbekend maakt onbemind.

Vaak is men ook bang voor klimplanten. Bang dat ze te wild groeien, de muur waartegen ze groeien aantasten, andere planten verstikken enzovoort. Met kennis van zaken kan een juiste keuze worden gemaakt en zullen we ze, eenmaal geplant, niet meer willen missen.
Er zijn veel verschillende klimplanten, waarbij klimrozen en clematis de boventoon voeren. Er zijn eenjarige klimplanten, die we zelf kunnen zaaien en die ons in de zomer verrassen met een uitbundige bloei. Er zijn overblijvende, bladverliezende en groenblijvende klimplanten. Willen we een groene muur in de winter? Dat kan. Of een muur die in de herfst vlammend rood verkleurt? Ook dat is mogelijk. In het eerst geval kiezen we een van de ontelbare klimopsoorten en in het tweede geval een wingerd, *Parthenocissus*. Deze klimplanten worden geplant om hun mooie blad. Zoeken we een klimplant die in de winter afsterft en in het voorjaar elk jaar vanuit de grond weer uitloopt,

Lathyrus latifolius *is een van de klimplanten die geschikt is als bodembedekker.*

5

dan is de overblijvende hop, *Humulus lupulus*, de aangewezen plant. Willen we er decoratieve hopbellen aan, dan moeten we een mannelijke en een vrouwelijke plant bij elkaar zetten. De bloeiwijze van de mannelijke plant is trouwens ook heel sierlijk, maar er gaat natuurlijk niets boven de prachtige hopbellen.

Voor een vlammend-rode herfstkleur is wingerd een van de beste keuzen

Een heerlijke geur, mooie bloemen en decoratieve vruchten

Er zijn klimplanten met geurende bloemen, zoals de naar vanille geurende *Clematis armandii* of de kamperfoelie, *Lonicera*. Deze laatste gaat pas tegen de schemering geuren, omdat de bloemen bestoven worden door nachtvlinders. Let er wel op dat niet alle kamperfoelie-soorten geuren. Met het kweken van mooiere bloemen is vaak de geur verloren gegaan, bijvoorbeeld bij *Lonicera* x *brownii*. Een *Lonicera periclymenum* of een van haar cultivars geurt echter altijd. We kunnen klimplanten kweken om de mooie bloemen, waarbij natuurlijk de clematis en de klimrozen weer op de voorgrond treden. Maar ook de zeer vroeg in het voorjaar bloeiende winterjasmijn bloeit heel uitbundig, net als de jasmijn, *Jasminum*, de klimmende *Solanum*, lathyrus, en kanariekers, *Tropaeolum peregrinum*. Een klimplant die prachtig bloeit en heerlijk geurt, is de blauweregen, *Wisteria*.

Een klimplant die mooie vruchten heeft, is *Akebia quinata*, die in het voorjaar eerst met chocoladekleurige, geurende bloemen bloeit en daarna worstvormige paarse vruchten krijgt. *Celastrus orbiculatus*,

TIP

Er zijn verschillende soorten hopplanten. De eenjarige hop, *Humulus scandens*, die wel Japanse hop wordt genoemd, en de overblijvende hop, *Humulus lupulus*.

6

de boomwurger, heeft fascinerende, bolronde vruchten die eerst groen zijn, in de herfst zwart worden en als ze openspringen hun gele binnenkant met daarin de oranjerode zaadjes laten zien.

Er zijn ook klimplanten waarvan de vruchten niet alleen decoratief zijn, maar ook eetbaar, zoals de druif, kiwi, braam, wijnbes en passiebloem.

TIP

Klimplanten in de serre kunnen geleid worden door horizontale draden op regelmatige afstanden van elkaar langs de wand en het dak aan te brengen.

Niet buiten, dan binnen

Er is veel variatie binnen de klimplanten en in de tuin kunnen we er altijd wel een paar kwijt. Maar er is ook een aantal zeer fraaie klimplanten die niet winterhard zijn. Als we ze als kuipplant behandelen en in een bak zetten, kunnen we ze 's winters binnenhalen. Een andere mogelijkheid is deze niet-winterharde planten in een serre te kweken.

In een serre kunnen we een fantastische binnentuin maken, waar klimplanten een grote rol spelen. Zo kan de witbloeiende jasmijn, *Jasminum polyanthum*, de serre met een bedwelmend zoete geur vullen. De passiebloem, *Passiflora caerulea*, kan op een beschutte plaats ook buiten groeien als zij in strenge winters beschermd wordt, maar kan ook uitstekend in een serre groeien. Bovendien kunnen dan ook andere passiebloemsoorten gekweekt worden die geen graadje vorst kunnen verdragen. Het gebruik van klimplanten biedt in tuin en serre dan ook eindeloos veel mogelijkheden

Een van de vele klimplanten met eetbare vruchten is de passiebloem.

Klimmen in het wild

In de natuur is klimmen
een manier van
overleven, een tussen-
vorm tussen struiken
en bomen. Klimplanten
komen het meeste voor in regenwouden.

De groei van planten is daar zo dicht en weelderig, dat er een strijd op leven en dood om het zonlicht ontstaat. Het is daar kiezen of delen: of zich aanpassen aan het leven in de schaduw, of proberen boven het groene bladerdak van de andere planten uit te komen. Veel planten namen de laatste uitdaging aan en ontwikkelden zich als klimplanten. In Nederland komt slechts een handvol klimplanten in het wild voor: wilde kamperfoelie, klimop, bitterzoet, haagwinde, heggerank, hop, vogelwikke, de beschermde aardaker en bosrank, en dan hebben we het wel gehad.

De andere klimplanten die bij ons in de tuin kunnen groeien, komen uit andere delen van Europa, zoals andere kamperfoelie-en clematis-soorten. Uit China en Japan komen veel bekende klimplanten – boomwurger *(Celastrus)*, *Actinida*, blauweregen *(Wisteria)*, trom-petbloem, *Campsis*. Maar ook veel klimplanten uit Noord- en Zuid-Amerika sieren onze tuinen en serres. Zo komt de oostindische kers, *Tropaeolum majus*, uit Peru en de *Eccremocarpus* uit Chili. Klim-planten die in het wild in Australië voorkomen, kunnen niet tegen vorst. Vaak worden ze als eenjarigen gekweekt of krijgen ze een plaatsje in de serre. Dagbloem *(Ipomoea)*, *Kennedia* en *Hibbertia* zijn daar voorbeelden van.

De heggerank is een echte wilde klimmer, die zich door bomen en struiken worstelt.

Klimmen ten koste van andere planten

In de loop van de evolutie ontwikkelden klimplanten de meest ingeni-euze methoden om te klimmen; door zich om alles heen te winden

wat op hun weg kwam, door zich met haken overal in vast te haken of door hechtwortels of bladranken te vormen, omhoog, op zoek naar het zonlicht. Dit omhoog klimmen kan zelfs ten koste van hun soortgenoten gaan die zij, en passant, met hun sterke stengels wurgen en verstikken. Stengels van klimplanten zijn berekend op snelle groei, op stevigheid en buigzaamheid. De stengel verlengt zich steeds, tot het zonlicht bereikt is. Vaak wordt in boeken een uiteindelijke hoogte van klimplanten aangegeven. Dat is echter betrekkelijk en afhankelijk van de omstandigheden. Zo zijn bepaalde klimplanten in de volle zon als heester al tevreden en gaan pas in de schaduw klimmen.

Een klimop kan met behulp van een oude boomstronk zelf boom worden.

Een klimplant die boom wordt

Een bijzonder geval van een klimplant die ten koste van haar gastheer uiteindelijk een boom wordt, is de in de regenwouden voorkomende wurgvijg. Het zaad van deze plant wordt door vogels of apen meegenomen en ontkiemt tussen de takken van een boom op een plekje waar zich wat organisch afval bevindt. Hieruit groeit een plant die met haar wortels rond de takken groeit. Deze bereiken via de stam de aarde. De wurgvijg kan nu sneller groeien en vormt met haar wortels een steeds dichter netwerk rond de stam van de boom, waardoor uiteindelijk de toevoer van water en voedsel naar de kroon afgeknepen wordt en de boom, zij het heel langzaam, doodgaat. De wurgvijg heeft inmiddels zo'n dicht netwerk rond de stam gevlochten, dat de plant zich, als de stam uiteindelijk afsterft, zelf staande kan houden. En zo is een klimplant een boom geworden. In ons gematigd klimaat komen in de natuur veel minder klimplanten voor dan dichter bij de evenaar. Toch kunnen veel klimplanten uit warmere streken bij ons groeien en komt er ook nog een aantal in het wild voor die in onze tuin zeker niet zullen misstaan. Bovendien zijn van deze planten veel cultuurvariëteiten gekweekt. Hiervan is de kamperfoelie een goed voorbeeld.

Een beschut milieu

Klimplanten die bij ons in het wild voorkomen, zijn zeker niet altijd 'wilde' klimplanten, het zijn geen wurgvijgen uit de regenwouden. Veel ervan zijn in een natuurlijke tuin heel goed te gebruiken. Uiteraard halen we deze planten niet uit het wild. Ze zijn te koop als plant of als zaad.

Klimplanten passen uitstekend in een natuurlijke tuin, omdat zij een gunstig en beschut milieu scheppen voor allerlei soorten dieren. Zo zullen vogels dankbaar gebruik maken van klimop, *Hedera helix*, om er hun nesten in te bouwen en zullen bepaalde vlindersoorten deze groenblijvende klimmer gebruiken om te overwinteren. Tal van andere insekten vinden hier een onderkomen en vormen op hun beurt weer het voedsel voor de vogels. Dat gebeurt ook bij de wilde bosrank, *Clematis vitalba*, een zeer sterke groeier waarvan de ranken wel 8 m lang kunnen worden. Deze plant is heel geschikt om in een stevige boom te groeien en bloeit uitbundig met grote pluimen witachtige bloemen, die uitgroeien tot decoratieve zaadpluizen. Het is een

klimmer om rekening mee te houden, maar die heel mooi is als zij de ruimte krijgt.

Zoete nectar   De wilde kamperfoelie, *Lonicera periclymenum*, die in de bossen een windende en in de duinen een liggende groeiwijze heeft, trekt met haar zoete nectar de nachtvlinders aan. Zo'n kamperfoelie is zeer geschikt om samen met andere klimmers en struiken een gemengde haag te vormen.

De windende bitterzoet, *Solanum dulcamara*, is met de blauwpaarse bloemen en rode bessen (pas op: de bessen zijn altijd giftig, ook de onrijpe groene bessen) een aanwinst voor de tuin. Het is bovendien een drachtplant voor honingbijen, net als de haagwinde, *Calystegia sepium*. De haagwinde is een door velen verfoeid onkruid, maar op heel speciale plaatsen en in toom gehouden, toch een bijzondere plant. Een met haagwinde overgroeid hek vormt een mooie groene haag, versierd met vrolijke grote, klokvormige, witte bloemen. Haagwinde is ook een waardplant voor de windepijlstaart, *Herse convolvuli*. De rupsen van deze vlinder eten het blad van de haagwinde. De heggerank, *Bryonia cretica* subsp. *dioica* groeit in het wild in duinen, langs dijken en spoorwegen. De bloemetjes zijn groenachtig wit en de bessen felrood. Net als bitterzoet is de plant uitstekend te gebruiken in gemengde heggen. Ook van de heggerank zijn de bessen giftig. Het is een drachtplant voor bijen en hommels. Aardaker, *Lathyrus tube-*

De wilde kamperfoelie is een echte nachtvlinderplant en geurt daarom vooral 's avonds.

TIP

Vogels vinden in klimplanten nest- en schuilgelegenheid en vinden er voedsel in de vorm van bessen en insekten. Wie een tuin vol vogels wil, kan daarom niet zonder klimplanten.

11

rosus, werd vroeger in Zeeland om haar knolletjes gekweekt en kwam in het wild zeer veel voor. Tegenwoordig is het een beschermde plant die, als we haar in de tuin willen zetten, bij gespecialiseerde kwekers te koop is. De plant wordt ongeveer 1 m hoog en houdt van vochtige, kalkhoudende grond. De typische lathyrusbloemen zijn donker rozerood.

Een heel sympathieke, fel blauwpaars bloeiende plant is vogelwikke, *Vicia cracca*. Deze plant is niet alleen een drachtplant voor honingbijen, maar ook een nectarplant voor dagvlinders.

De gehakkelde aurelia

Als laatste van deze allemaal nog in het wild voorkomende klimplanten noemen we de hop, *Humulus lupulus*. De hop groeit in het wild in bossen, heggen en langs spoorwegen. Het is een fantastische plant, die we vaak in de tuin aantreffen en die zeker thuishoort in de natuurlijke tuin.

Veel vogels en andere dieren vinden tussen de ruwe bladeren beschutting. De rupsen van een bijzondere vlindersoort, de gehakkelde aurelia, *Polygonia c-album*, gebruiken de hop als waardplant en eten de bladeren. Deze fantastische plant produceert als extraatje ook nog mooie hopbellen (alleen de vrouwelijke plant).

De heggerank groeit in het wild in duinen, langs dijken en spoorwegen.

Als hop een geschikte plek vindt waar zij de kans krijgt uit te dijen, zal zij alle verticale elementen, zonder hulp, met blad en bellen bedekken.

Wilde klimplanten zijn een plaats in de natuurlijke tuin waard. Zij dragen bij tot de verbetering van het milieu van de wilde dieren.

Klimmen in de serre

Een serre is uitermate geschikt om er klimplanten in te kweken. Net zoals klimplanten in de tuin voor een extra dimensie zorgen, doen zij dat in de serre en nemen bovendien weinig ruimte in.

De planten die we niet in de tuin kunnen kweken omdat ze niet winterhard zijn, doen het wel in een serre.

Met dit oogmerk is de serre vroeger ontstaan. Het is eigenlijk een aan huis gebouwde kas, die ook een heel andere functie heeft dan een kas. In een kas worden meestal planten gezaaid, gestekt en opgekweekt. Het klimaat in een kas is aangepast aan de planten. Omdat elke plantengroep haar eigen eisen stelt, worden de planten die wat verzorging betreft bij elkaar horen, in een kas gekweekt. Zo zijn er bijvoorbeeld speciale orchideeënkassen.

De serreplanten die in dit boek worden behandeld, komen voor in de catalogi van gespecialiseerde boomkwekers en kuipplantenkwekers. Het zijn dus geen kamerplanten, maar planten die ook wel als kuipplanten 's zomers buiten worden gekweekt en 's winters binnen vorstvrij moeten overwinteren. De minimumtemperatuur van de hier opgenomen serreplanten varieert van 0-12 °C.

Allamanda cathartica heeft in de serre draden nodig als steun.

Een gunstig klimaat

Een serre is vroeger op buitenplaatsen ontstaan uit een behoefte om de mooiste planten die in de kas gekweekt waren te showen. De toenmalige tuinlieden hadden een hekel aan de serre, omdat de omstandigheden daar niet altijd even goed waren als in de kas. De serres waren vrij massieve bouwsels waar de planten wel beschutting kregen, maar niet genoeg licht. De tuinlieden kregen de uitgebloeide planten dan later weer in slechte toestand terug in de kas.

Een serre werd vroeger tegelijk met het huis gebouwd en vormde hiermee, ook architectonisch gezien, een geheel. De serres werden toen niet gezien als een soort extra huiskamer, maar als onderkomen voor een plantencollectie.

Tegenwoordig beleven de serres een ware comeback. Het verschil met de serres van vroeger is echter dat ze meer bedoeld zijn als tuinkamer voor mensen, dan als kas voor planten. Het een hoeft het ander echter niet uit te sluiten. Er moet dan echter wel met enige kennis van zaken te werk worden gegaan. Dat begint al met het ontwerp en de ligging van de serre. Daarna volgt de inrichting. Kunnen we zowel aan de eisen van de bewoners als aan die van de planten voldoen, dan kan een serre zowel voor planten als bewoners een lustoord worden.

Niet alleen het uitzicht vanuit de serre, maar ook het aanzicht vanuit de tuin is belangrijk.

De ligging van de serre Wordt een serre aan een bestaand huis gebouwd, dan gebeurt dit vaak aan de achterkant, waar een fraai uitzicht is of de privacy is gewaarborgd. De planten zullen zich dan aan de ligging aan moeten passen. Met wat aanpassing door bijvoorbeeld een serre een hoek om te bouwen of door juist een dode hoek van een huis te benutten, worden de mogelijkheden voor de planten ineens sterk vergroot.

Een serre op het noorden heeft in de winter drie maanden lang geen direct zonlicht. De kosten om de serre vorstvrij en iets warmer te houden, zijn dan hoger. In de zomer scheelt het echter weer energie, omdat er geen uitgebreid zonweringssysteem nodig is, zoals bij een

Bij veel zon moet de serre van binnenuit of van buitenaf beschermd worden.

serre op het zuiden. Een serre op het zuiden heeft 's winters grote voordelen. In deze serre kunnen planten en bewoners zelfs 's winters van de zon genieten. In de zomer zal het al gauw te warm zijn, zeker voor de hier besproken planten. In deze serre is extra aandacht nodig voor zonwering en beluchting. In de buurt staande loofbomen kunnen als zeer geschikte zonwering fungeren. Zij geven in de zomer schaduw en laten in de winter, doordat hun blad gevallen is, voldoende licht door.

Een serre is eigenlijk een aan het huis gebouwde kas, die toch vaak meer voor mensen dan voor planten is ingericht.

In een serre op het oosten krijgen de planten zacht ochtendlicht. Ze groeien bij dit licht beter dan bij het fellere middaglicht. In de winter heeft deze serre dezelfde nadelen als een serre op het noorden. Indien mogelijk zou deze serre haaks op de oostmuur van het huis geplaatst moeten worden. De lichtopvang in de winter wordt dan gunstiger.

In een serre op het westen moet zonwering aangebracht worden, omdat de planten in de zomer door de middagzon kunnen verbranden. In de winter kan de serre nog veel licht opvangen, waardoor de stookkosten beperkt blijven. Het grote voordeel van een serre op het westen is dat we van de zonsondergang kunnen genieten.

De plaatsing van de serre heeft voor de planten dus grote gevolgen. Denkt men bij het bouwen van een serre aan het huis alleen maar aan de esthetiek en stelt men zich daarbij een romantische beplanting voor, dan zou dat wel eens niet uit kunnen komen.

15

Zonwering, beluchting en verwarming

Bij nieuwe huizen worden serres vaak gebouwd als isolatiebuffer tussen het warme huis en de koude winterse buitenlucht. Zo'n serre wordt meestal alleen als tuinkamer gebruikt en kan in feite deze naam ook beter dragen, omdat de planten hier niet het uitgangspunt zijn. Toch kan een dergelijke serre met enige aanpassingen ook een echte binnentuin worden.

Elke serre die in de zomer het volle licht krijgt en niet in de schaduw van bomen ligt, heeft zonwering nodig. Alleen cactussen en vetplanten –en dan nog niet eens allemaal– kunnen in de volle zon groeien. De andere planten, zelfs de meest zonminnende, zullen in de volle zon meer vocht verdampen dan ze op kunnen nemen, waardoor ze slap gaan hangen. Door speciaal glas kan de felle hitte wat getemperd worden. Ook een automatisch werkend sprinklersysteem kan de temperatuur aanmerkelijk aangenamer houden, maar toch is zonwering noodzakelijk.

Zonwering is niet alleen noodzakelijk voor het dak, maar ook voor zijwanden van glas. Het beste kan zonwering aan de buitenkant worden aangebracht, zodat de warmte van de zon buiten al wordt tegengehouden. De eenvoudigste methode is het aanbrengen van kassenwit. Dit is een soort kalk die in het voorjaar aan de buitenkant op de ramen wordt aangebracht. Als het droog is, blijft het wit en ondoor-

TIP

Door een balkon te beglazen kan een bijzondere serre worden gemaakt. Een balkon biedt op deze manier ineens een scala aan mogelijkheden.

Podranea '*Comtesse Sara*' *is een zeer bijzondere klimmer voor de serre.*

zichtig en als het nat is wordt het transparant, zodat op regenachtige dagen meer licht door kan dringen. In de herfst kan het weer gemakkelijk worden verwijderd. Deze zonwering staat echter minder mooi bij een serre die juist 'voor het mooi' aan het huis is gebouwd. Binnen kunnen klimplanten echter de kalk onzichtbaar maken. Andere zonwering die aan de buitenkant van een serre kan worden aangebracht, kan bestaan uit rolhorren of jaloezieën. Deze kunnen handmatig of automatisch bediend worden, waarbij het laatste natuurlijk het gemakkelijkst is.

Het is belangrijk dat voor de bouw van een serre deskundig advies wordt ingewonnen.

Zonwering aan de binnenkant kan bestaan uit rolschermen of andere, ook in de professionele kassenbouw gebruikte materialen. Zij kunnen met de hand of automatisch bediend worden. Wat we nogal eens in de 'woonserre' zien, is zonwering door middel van transparante stoffen aan de binnenkant.

Net zo belangrijk als zonwering is beluchting. Hiermee moet tijdens de bouw al rekening worden gehouden. Er moeten voldoende luchtramen worden aangebracht. Deze luchtramen moeten zowel in het dak als in de zijwanden zitten. De opstijgende warme lucht verlaat de serre via de dakramen en door de lager gelegen zijramen stroomt de koelere lucht binnen. Ideaal zijn ramen die automatisch open en dicht gaan. Het zou anders een heel werk zijn bij elke temperatuurswisseling de ramen open en dicht te doen. Zou dit meerdere malen vergeten worden, dan komt dit het klimaat in de serre niet ten goede. Ook bij koelere temperaturen is een goede beluchting noodzakelijk.

Als de temperatuur, licht en vochtigheid in een serre goed zijn geregeld, is dat niet alleen plezieriger voor een woonserre, maar kunnen we er ook planten kweken. Welke planten het er goed zullen doen, hangt echter af van de temperatuur. Zo kan een serre onverwarmd zijn met een minimumtemperatuur beneden 3 ˚C; vorstvrij, met een minimumtemperatuur rond 3-4 ˚C; koel; gematigd of warm. In een warme serre daalt de minimumtemperatuur zomer en winter niet onder 16 ˚C. In een gematigde serre komt de temperatuur niet onder 10-16 ˚C en in een koele serre niet onder 4-10˚C.

Bij de plantenkeuze zijn we uitgegaan van een koele serre.

Als voor een serre speciale beglazing wordt gebruikt, zoals thermopane of thermoplus, helpt dit de stookkosten te beperken. Om de serre op de gewenste temperatuur te houden, is het beste systeem de serre aan te sluiten op het bestaande verwarmingssysteem, maar wel met een aparte thermostaat. Ook moet er een afsluitmogelijkheid tussen kamer en serre zijn, omdat de serre anders in de winter de temperatuur van een warme kas krijgt, wat voor deze planten niet geschikt is. Vloerverwarming is ideaal, vooral als daarop een harde vloer wordt gelegd. Dan kan er naar hartelust met water worden geknoeid. Er zijn

In een serre die 's winters iets warmer is, zal Clerodendrum thomsoniae *het goed doen.*

ook speciale elektrische ventilatorkachels in de handel met een thermostaat. Zij zorgen ook voor een probleemloze verwarming, maar kosten wel erg veel energie. Aan zonne-energie wordt ook steeds meer aandacht geschonken. Hierbij moet tijdens de bouw al rekening worden gehouden.

Water en luchtvochtigheid

Klimplanten staan het liefst met hun voeten in de volle grond. Krijgt de serre een harde vloer, dan moeten van tevoren plantvlakken voor deze planten uitgespaard worden. De ondergrond wordt voldoende losgemaakt en daarna met goede potgrond gevuld. Een bijzondere manier om klimplanten te kweken, is ze met hun wortels in de kas te laten staan en ze door het dak naar buiten te laten groeien. Zo eten ze van twee walletjes. Andersom kan ook: in Hampton Court in Engeland staat een meer dan twee eeuwen oude druif met haar wortels buiten de kas, terwijl de ranken met druiven in de kas hangen. De plant wordt met zeer veel zorg omringd en groeit na al die tijd nog steeds uitstekend. Jaarlijks geeft deze ene plant 300 tot 400 kg druiven.

Water geven is in een serre net zo belangrijk als in de kamer. De beste methode is de planten allemaal apart te gieten. U kunt hiervoor een slang of een gieter gebruiken. Automatisch water geven door een bevloeiingssysteem met druppelaars kan ook. Maar als de serre ook gebruikt wordt als zitkamer, is dit een minder fraai gezicht.

De luchtvochtigheid is van het grootste belang. Vooral in de zomer

Passiflora caerulea is een van de weinige passiebloemen die met enige beschutting onze winters kunnen doorstaan.

TIP

Gebruik langs het dak geleide, zonminnende klimplanten, zoals passiebloemen, als zonwering voor de planten eronder. Zorg er echter voor dat de planten het glas niet raken.

19

zullen planten sneller verbranden als de luchtvochtigheid laag is. Door een automatisch sprinklersysteem aan te brengen, stijgt de luchtvochtigheid snel en daalt de temperatuur. Regelmatig sproeien en de vloer nat houden, kan de luchtvochtigheid ook doen toenemen. 's Winters kan de luchtvochtigheid lager zijn en moeten we ervoor zorgen dat de planten niet te vaak gesproeid worden, omdat ze dan te lang nat blijven en er schimmelziekten op kunnen treden.

Klimplanten die niet zelf hechten, hebben steun nodig en moeten van tijd tot tijd worden aangebonden.

Aanbinden   Klimplanten in de serre moeten zorgvuldig worden aangebonden. Indien mogelijk moeten horizontale, strakgespannen draden worden aangebracht. Deze mogen niet van metaal zijn, omdat dit materiaal 's zomers te heet wordt en de planten daardoor zouden verbranden. Metaaldraad dat met plastic bekleed is, lost dit probleem op. Bij klimplanten die in een grote pot staan, kunnen drie grote bamboestokken langs de rand worden gestoken en bovenaan vast worden gebonden. Dunne stengels kunnen aan touw omhoog worden geleid. Is het niet mogelijk om draden aan te brengen, dan kan latwerk worden gemaakt waaraan de planten bevestigd kunnen worden. Bestaande palen of pilaren kunnen ook met klimplanten worden bekleed.

Serreplanten   Een serre is een ideale plaats om een collectie passiebloemen op te bouwen. De meest voorkomende blauwe *Passiflora caerulea* kan mct cnige beschutting 's winters wel buiten staan, maar andere soor-

Rhodochiton atrosanguineus *wordt soms als winterharde klimplant verkocht, maar is dit beslist niet. Zij is wel geschikt voor de serre.*

ten kunnen echt geen enkele graad vorst verdragen. Er zijn bijzonder mooie passiebloemen, zoals de rode *Passiflora racemosa*. De bloemen komen het mooist uit als de stengels eerst verticaal en daarna horizontaal geleid worden.

Een plant met prachtige gele bloemen is de *Allamanda cathartica*. Het is beter deze plant in de grond van de serre te zetten dan in een bak. Haar wortels hebben vrij veel ruimte nodig. Een plant die wat bloemen betreft iets weg heeft van de allamanda, is *Mandevilla*. Deze bloemen zijn echter niet geel, maar roze. De plant wordt vaak verkocht als kamerplant, maar komt veel beter uit in de serre, met haar wortels in de volle grond in plaats van in een pot en met genoeg ruimte voor de ranken.

Een plant die we nogal eens in Zuid-Engeland tegenkomen, is *Solanum crispum* 'Glasnevin'. Enige graden vorst kan zij nog wel verdragen, maar ze is bij ons toch echt niet winterhard. Ze is wel uitstekend geschikt voor de serre, waar de plant zeer rijk en lang bloeit.

Een plant die tegenwoordig soms als winterharde klimplant voor de tuin wordt verkocht, is *Rhodochiton atrosanguineus*. Het is een prachtige plant, maar absoluut niet winterhard. Het is zeer de moeite waard om haar

Malphigia ciccugera *is uitstekend in vormen te leiden; zeker als die niet al te groot zijn.*

in de serre te kweken om haar bijzondere bloemen die bestaan uit een roze bloemkelk met een donkerpaarse bloembuis erin.

Ook de *Eccremocarpus scaber* zien we de laatste tijd steeds meer. In een pot komt deze plant echter niet tot haar recht en ze kan daarom veel beter in de volle grond worden gekweekt. Dit kan in de zomer buiten, waar zij eenjarig wordt gekweekt, of in de serre, waar de plant zo'n 3 m hoog kan worden. De plant heeft prachtige trossen oranjerode bloemen. Na de bloei moet ze tot vlak boven de grond teruggeknipt worden. De plant zal dan in het voorjaar weer uitlopen.

Sollya is een aantrekkelijke, groenblijvende klimplant. De plant zal de serre met haar hemelsblauwe bloemen van de zomer tot de herfst sieren. Het is bijzonder aantrekkelijk om in de serre planten te kweken die heerlijk geuren. De kroon spant wat dat betreft de jasmijn, *Jasminum polyanthum*, die als kamerplant wordt verkocht. Vaak gaat de plant in de kamer echter na verloop van tijd kwijnen. De temperatuur is te hoog en de hoeveelheid licht is niet voldoende. Bovendien kan de plant haar ranken niet kwijt en moeten die steeds ronddraaien om de ijzeren steun waarmee ze verkocht wordt. Wat een verschil met dezelfde plant in de serre, die meters hoog zal klimmen en zich daar duidelijk beter op haar gemak voelt.

Een andere heerlijk geurende serreplant is de sterjasmijn, *Trachelospermum jasminoides*. Ondanks haar naam is zij geen familie van de

Sterjasmijn is een heerlijk geurende serreplant.

hiervoor genoemde jasmijn. Het blad van deze plant is wintergroen en vormt een zeer fraaie achtergrond voor de trosjes witte bloemen.

Een plant waarvan de witte wasachtige bloemen nog steeds voor bruidsboeketten worden gebruikt, is de bekende bruidsbloem, *Stephanotis floribunda*. Ze wordt veel verkocht als bloeiende kamerplant, maar is dan vaak met geen mogelijkheid nogmaals in bloei te krijgen.

In de serre lukt dit meestal wel, omdat de planten daar meer licht en gunstiger groeiomstandigheden hebben. De planten moeten geleid worden, ook hier weer het beste eerst omhoog en daarna overdwars, zodat de bedwelmend geurende bloemen mooi uitkomen. Net zo bekend als de *Stephanotis* of bruidsbloem is de wasbloem, *Hoya*. Hier is een aantal soorten van, die vaak in de kamer maar matig bloeien, maar dit in een lichte serre wel doen. Ze willen het graag 's winters koeler hebben dan de kamer ze kan bieden. Er zijn wel een paar honderd verschillende soorten wasbloemen, waarvan er hier slechts een paar soorten worden gekweekt.

Een met zorg ingerichte serre kan de plantenliefhebber veel plezier verschaffen.

Geurend of groenblijvend, gekweekt om bloemen of bladeren, er gaat niets boven klimplanten in een serre. Ze hebben uiteraard wat meer verzorging nodig dan de klimplanten in de tuin, maar het resultaat is er dan ook naar.

TIP

Doordat een serre een op zichzelf staand geheel is, kan hier uitstekend biologische bestrijding worden toegepast. Eventuele belagers van planten worden dan door natuurlijke vijanden zonder schade aan mens en milieu effectief bestreden. Meer hierover vindt u bij 'Ziekten en plagen'.

Buiten klimmen

Klimmers in de tuin kunnen houtig of kruidachtig zijn en groenblijvend of bladverliezend. De klimhortensia, *Hydrangea petiolaris*, is houtig en bladverliezend, en de klimop, *Hedera*, is houtig en groenblijvend. Oostindische kers, *Tropaeolum majus*, en hop, *Humulus*, zijn beide kruidachtig.

Clematis macropetala *'Rosy O'Grady'*.

Vorstgevoelig

Voor de tuin moeten alle overblijvende klimplanten één eigenschap gemeen hebben en dat is hun winterhardheid. Hier wordt niet altijd duidelijke informatie over gegeven en vaak is het ook niet zo duidelijk en afhankelijk van de standplaats en de landstreek. Zo zullen vorstgevoelige planten het aan de kust beter doen dan in het binnenland. Met enige voorzorgen kunnen bepaalde vorstgevoelige planten wel buiten worden gekweekt door ze bijvoorbeeld 's winters te beschermen. Vaak ook zijn ze alleen in hun jeugd vorstgevoelig. Zijn ze die periode eenmaal goed doorgekomen, dan is er niets meer aan de hand. Het is ook afhankelijk van de winter. Eén strenge winter overleven ze meestal nog wel, maar nog een strenge winter direct het jaar daarna geeft planten als de passiebloem meestal de genadeslag. Het beste is klimplanten te kiezen die zich in ons klimaat kunnen handhaven, en de vorstgevoelige klimmers in een bak of in een serre te kweken.

Klimmen in een bak

Bijna elke plant zal het ook in een bak goed doen, mits er aan bepaalde voorwaarden wordt voldaan. Zo moet de bak of pot groot genoeg zijn en de verzorging optimaal. De plant moet op tijd water en mest krijgen. Klimplanten in een bak kweken is niet altijd zo eenvoudig. Klimplanten die erg snel en uitbundig groeien, zoals een bruidssluier, *Polygonum aubertii*, zetten we niet zo gauw in een bak. De plant moet zo'n uitgebreid wortelstelsel vormen om haar hoogte te bereiken, dat een bak hiervoor te beperkt is. Vooral de eenjarige en eenja-

rig gekweekte klimplanten zoals Oostindische kers, *Tropaeolum majus*, Suzanne-met-de-mooie-ogen, *Thunbergia alata*, en dagbloem, *Ipomoea tricolor*, zijn uitstekende potbewoners. Van de overblijvers zijn kamperfoelie, *Lonicera*, vaste lathyrus, *Lathyrus latifolius*, of de lager blijvende klimrozen en clematis geschikt. Deze overblijvers zijn winterhard en kunnen dus in hun pot buiten blijven staan.

De pot of bak waar ze in staan, moet dan natuurlijk ook tegen vorst kunnen. De bakken met klimplanten moeten tegen een muur of andere steun gezet worden, waartegen de planten kunnen klimmen. Op een balkon kunnen klimplanten uitstekend tegen het balkonhek of tegen een scheidingswand klimmen. Als er geen klimmogelijkheid aanwezig is, moet er een in de pot zelf gemaakt worden. De eenvoudigste klimsteun wordt gemaakt door drie bamboestokken langs de rand van de pot te zetten en bovenaan vast te binden. Zo ontstaat een piramide waaraan de klimplanten houvast kunnen vinden.

Klimplanten in potten kunnen met andere planten, bijvoorbeeld bollen, worden gecombineerd. Ook kunnen verschillende soorten klimplanten met elkaar worden gecombineerd. Behalve een keuze uit winterharde klimplanten kunnen voor een pot ook niet-winterharde klimplanten worden uitgezocht. Zij kunnen, als ze tenminste niet eenjarig zijn, in de herfst binnen in een vorstvrije ruimte overwinteren. Zo kan *Podrania*, een Zuidafrikaanse plant, uitstekend op deze

Bepaalde klimplanten kunnen ook in potten worden gekweekt, zoals deze lathyrus.

manier buiten gekweekt worden: ze blijft de hele zomer met trossen geurende roze bloemen bloeien. Ook *Rhodochiton* is op deze manier te kweken. Deze prachtige plant uit Mexico is niet winterhard en zal 's winters dus met pot en al binnen moeten overwinteren. Een klimplant in een pot hoeft niet altijd te klimmen, maar kan ook als een waterval naar beneden tuimelen. Het is dan wel zaak dat de klimplant in de pot zelf steun heeft. Het zou wat lastig zijn om de plant met latwerk of muur en al mee naar binnen te nemen.

Een geschikte clematis zal het met een goede verzorging ook in een pot doen.

Clematis in een pot
Een verhaal apart is een clematis in een pot. Omdat we dit nog niet zoveel zien, wordt misschien aangenomen dat een clematis het in een pot niet zou doen. Niets is echter minder waar. Als de pot groot genoeg is en de plant genoeg water en voedsel krijgt, is het resultaat verrassend. Toch kunnen we niet zomaar een clematis in een pot zetten. Voor een balkon moeten we een clematis kiezen die vrij compact groeit en bloeit op het oude hout. De cultivars van *Clematis alpina* en *Clematis macropetala* zijn goede potbewoners. Zo kunt u kiezen uit de witte 'Burford White' en 'White Swan'; de blauwe 'Columbine', 'Frances Rivis', 'Pamela Jackman, 'Blue Bird', 'Lagoon' en 'Maidwell Hall'; de wijnrode 'Ruby', de roze 'Markham's Pink', 'Rödklokke' en 'Rosy O'Grady' en de donkerviolette 'Helsingborg'. Als ruimte geen probleem is en het balkon is groot of de ruimte tegen een muur in de tuin kan wel een aardige begroeiing herbergen, dan kunnen we een

Clematis alpina *'Ruby'.*

kleinbloemige clematis kiezen. Erg wilde groeiers als *Clematis montana*, *C. tangutica* en *C. vitalba* mogen niet in een pot worden geplant. Beter is een bescheidener clematis als *Clematis viticella* in een pot te planten. Ook de cultivars van deze soort zijn zeer geschikt, bijvoorbeeld de in juni-juli bloeiende witte 'Alba Luxurians', wijnrode 'Kermesina', violetpaarse 'Etoile Violette', crèmekleurige 'Minuet', rozerode, gevulde 'Purpurea Plena Elegans' of de wijnrode 'Rubra'. De vroegbloeiende grootbloemige clematissen groeien vrij compact en kunnen ook goed in een pot worden geplant. Hiertoe behoren 'Barbara Dibley' (paarsrood), 'Corona' (purperroze), 'Hakuôkan' (violetblauw), 'H.F. Young' (blauw) en 'Mrs P.B. Truaux' (lilablauw). Ook later bloeiende clematissen, zoals de eerder genoemde *C. viticella* en cultivars, zijn geschikt voor een pot, mits er aan de snoei wat extra aandacht wordt besteed.

Zij vormen alleen bloemen aan nieuwe ranken. In februari-maart worden daarom de ranken die het vorige jaar gegroeid zijn, weggesnoeid. De nieuwe ranken moeten zorgvuldig worden opgebonden, omdat de nieuwe bloemen pas aan de ranken komen als ze 2 tot 3 m lang zijn. Maar al deze extra aandacht is wel de moeite waard. De potten met clematis kunnen tegen een latwerk, balustrade of hek worden gezet waartegen ze kunnen klimmen. Is deze mogelijkheid er niet, dan kan in de pot een klimsteun worden gezet in de vorm van bamboestokken of een lage rozenstandaard.

Klimplanten hebben veel gebruiksmogelijkheden. Ze kunnen de gevelarchitectuur versterken of in een pot het terras opfleuren.

Verzorging van klimplanten in een pot

Klimplanten mogen bij voorkeur niet in een plastic pot worden geplant. De wortels worden dan 's zomers te warm en drogen te veel uit. Bovendien zouden ze in koude winters ook te veel te lijden hebben. Klimplanten kunnen in een grote terracotta pot worden gezet die tegen de vorst bestand is. Een kuip voldoet nog beter. De pot moet minstens 50 cm diep zijn en even lang en breed om voldoende grond voor de plant te kunnen bevatten. Onderin of aan de zijkant net boven de onderkant moeten drainagegaten zitten, zodat het overtollige water weg kan lopen. Leg eerst een laag potscherven op de bodem en vul dan de pot met goede potgrond. Als de plant in de pot wordt geplant, moet eerst de wortelkluit goed nat worden gemaakt. Daarna krijgt de plant water en wordt de pot op een beschutte plaats neergezet. De plant mag niet meteen aangebonden worden, omdat de grond altijd nog wat nazakt, waardoor de plant zichzelf kan ophangen. De planten moeten in de zomer voldoende water en mest krijgen en regelmatig aangebonden worden. Mest kan in het voorjaar in de vorm van vloeibare mest worden gegeven. Eenjarige planten kunnen (afhankelijk van de soort mest) om de veertien dagen mest krijgen. Voor overblijvende klimplanten is één gift in het voorjaar meestal voldoende. Een clematis moet gemest worden tot de eerste knop verschijnt. Na de bloei moet (behalve bij eenjarigen) opnieuw gemest worden, zodat de plant voldoende reservestoffen op kan bouwen om het volgende jaar te bloeien.

Kanariekers in een pot vraagt een paar stokken waar ze tegenaan kan klimmen.

Klimop hecht zich aan alle oppervlakken, mits deze niet te glad zijn.

Manieren van klimmen

Klimplanten klimmen niet allemaal op dezelfde manier. Het is nuttig om te weten hoe ze klimmen, zodat u ze de juiste steun kunt geven. Planten die meestal in één adem met de klimplanten worden genoemd, zijn de leiplanten. Eigenlijk kunnen ze helemaal niet klimmen en hangen ze met hun lange slappe takken wat hulpeloos tegen hun buren. Deze planten, zoals de *Allamanda*, hebben onze hulp nodig en moeten opgebonden worden, willen ze niet in elkaar zakken. Planten die wel op eigen kracht klimmen, worden soms ook nog in twee groepen gedeeld: de slingerplanten en de klimplanten.

Slingerplanten, zoals kamperfoelie *(Lonicera)*, blauweregen *(Wisteria)* en hop *(Humulus)*, winden zich rond de dichtstbijzijnde steun. Deze planten kunnen uitstekend tegen gaas groeien. Planten we ze tegen een muur of schutting, dan moet er eerst draad of een latwerk aangebracht worden waar ze zich omheen kunnen winden.

Andere klimplanten hebben bepaalde aangepaste organen die ze gebruiken om zich omhoog te werken.

Zo heeft klimop, *Hedera*, hechtwortels, waarmee zij zich vast kan hechten. Tegen een muur geplant heeft klimop geen steun nodig, daar zorgt zij zelf voor. Door deze hechtwortels is de klimop niet alleen een klimplant, maar ook een uitstekende bodembedekker, omdat de plant zich met deze wortels in de bodem verankert.

Er zijn ook klimplanten, zoals de wingerdsoorten, die zuignapjes gebruiken om zich vast te hechten. Dit zijn kleine schijfjes die zich

Kamperfoelie windt zich net als blauweregen en hop rond de dichtstbijzijnde steun.

TIP

Zorg voor een automatisch bevloeiingssysteem voor potten met klimplanten. Zo weet u zeker dat de planten voldoende water krijgen (ook in de vakantie!).

vasthechten aan een ruw oppervlak, zoals een muur. Groeien deze klimplanten op een hekwerk, dan zullen ze geen hechtschijfjes vormen, maar zich al slingerend omhoog werken.

Klimrozen en bougainvillea's hebben weer een andere manier ontwikkeld om naar boven te komen. Zij gebruiken hun stekels en haken zich hiermee in andere planten vast. Dat is meer een kwestie van blijven hangen dan van zich werkelijk vasthechten. Daarom moeten deze klimplanten geholpen worden door de juiste ondersteuning waaraan ze vastgebonden worden.

Een grote groep klimplanten heeft draadvormige organen ontwikkeld, de ranken. Ranken kunnen uit de bladstelen, de bladeren zelf, uit de bloemen of uit de stengels groeien. Deze ranken draaien zich om alles vast wat ze tegenkomen. Dit is een ingenieus systeem, want de ranken vormen een elastische spiraal, een soort schokbreker, die de planten wat bewegingsvrijheid geeft. De druif *(Vitis)*, lathyrus en heggerank *(Bryonia)* klimmen met behulp van ranken. Deze planten hebben als ze tegen een muur geplant zijn dus ook draad of een latwerk nodig om hun ranken te kunnen gebruiken.

Als u de manier van klimmen van klimplanten kent, kunt u ze de juiste ondersteuning geven.

De juiste ondersteuning

Klimplanten die zich hechten door hechtwortels of hechtschijfjes hebben tegen een ruwe muur van baksteen geen extra steun nodig.

Druif, lathyrus en heggerank gebruiken ranken om te klimmen.

Klimrozen en bougainvillea's gebruiken stekels en haken om te klimmen.

Op een gladdere muur hebben ze om de 1 tot 1,5 m horizontale draden nodig om hen te helpen het gewicht te steunen en ervoor te zorgen dat ze niet van de muur afglijden. De draden moeten strak tussen twee muurspijkers worden gespannen, die in de voegen worden geslagen. Zorg er wel voor dat het draad sterk genoeg is, want klimplanten kunnen op den duur een heel gewicht vormen.

Klimplanten die niet zelf hechten, kunnen met behulp van draad naar boven geleid worden.

Een klimplant, bijvoorbeeld de klimhortensia, *Hydrangea petiolaris*, heeft zeker in het begin op iedere muur wat steun nodig in de vorm van horizontale draden. De planten worden erg zwaar en groeien bovendien wat naar buiten. Worden ze niet extra gesteund, dan kan een storm ervoor zorgen dat de hele plant van de muur af komt.

Een draadraam Een niet-zelfhechtende klimplant heeft meer steun nodig. Zo kan een kamperfoelie tegen een schutting of muur uitstekend aangebonden worden door aan onder- en bovenkant van de schutting, op een afstand van 30 cm, twee rijen roestvrije schroefhaken aan te brengen. Maak hierna een stevige draad of touw aan de onderste haak vast. Rijg dit omhoog door de haak erboven, door de haak ernaast en dan weer naar beneden. Zo vlecht u een steun voor de plant. Als de klimplant op deze manier tegen een schutting groeit kan zij, als de schutting geschilderd moet worden, hiervan gemakkelijk worden losgemaakt en tijdelijk even op de grond gelegd worden.

Latwerk kan gebruikt worden voor lei-planten en klimmers.

31

Latwerk   Planten groeien uitstekend tegen een latwerk. Dit kunt u zelf maken of kant en klaar kopen. Tussen schutting of muur en latwerk moet minstens 5-10 cm ruimte zitten, zodat er achter de klimplanten lucht kan komen en problemen als rot en ziekten voorkomen worden. Hoekijzers of blokjes hout kunnen het rek van de muur houden. Een goede manier om latwerk te maken, is ervoor te zorgen dat het onderaan kan scharnieren en bovenaan met een haak vastgezet kan worden. Zo kunt u het latwerk naar beneden klappen om onderhoudswerkzaamheden aan achtergrond en plant te verrichten.

Zorgvuldig geleide en aangebonden klimplanten kunnen een heel bijzonder cachet aan de gevel geven.

Kippegaas   Voor eenjarige en kleinere klimplanten kunt u een eenvoudiger rek van kippegaas maken. Rijg hiertoe een bamboestok door de boven- en onderkant van het gaas en hang het aan een paar haken op. Zet de onderkant met een paar pennen in de grond of met haken aan de achtergrond vast. Klimrozen kunnen met touw aan haken in de muur of schutting worden vastgebonden. De manier van vastbinden is erg belangrijk. Dit moet in een 8-vorm gebeuren en zo ruim, dat de stengel niet afgesnoerd kan worden als hij groeit. Het resultaat daarvan is namelijk dat het gedeelte van de stengel boven de afgebonden plaats afsterft. Het is zaak regelmatig te controleren of het bindmateriaal niet knelt. Er zijn veel verschillende bindmaterialen op de markt, die alle gebruikt kunnen worden op de voorwaarde dat ze bescheiden van kleur zijn en niet de aandacht van de planten zelf afleiden.

TIP

Als u van touw of draad een vlechtwerk tegen muur of schutting maakt, laat het teveel aan touw of draad dan in een rolletje hangen. Als de plant doorgroeit, kan de steun met dit touw groter worden gemaakt.

Klimmers zoeken steun

Laten we klimplanten aan hun lot over en is er geen verticale klim-mogelijkheid in de tuin aanwezig, dan zullen hun lange, slappe stengels over de grond kruipen.

Veel klimplanten, zoals allerlei klimopsoorten, *Hedera* species, en de klimhortensia, *Hydrangea petiolaris*, zijn uitstekende bodembedekkers. Willen we ze echter de hoogte in krijgen, dan zullen we ze steun moeten bieden. De meest voor de hand liggende steun vinden klimplanten in de muren van ons huis. Maar klimplanten kunnen ook op een andere, speelse manier worden gebruikt. Zo kunnen ze tegen hekken, bogen en pergola's klimmen of in een driepoot in de border. Dit geeft weer een heel ander effect dan een klimplant tegen een muur.

Er zijn ook hulpmiddelen om een klimplant in een border omhoog te krijgen.

Een lekker warme muur

Klimplanten die tegen een muur groeien, krijgen een maximum aan licht en warmte en bovendien profiteren ze van de weerkaatsing van de warmte van de muur. Hierdoor zullen zij weelderig groeien, mits hun voeten in vochtige en vruchtbare aarde staan. Groenblijvende klimplanten, zoals *Euonymus fortunei* en zelfs de gewone klimop, kunnen als zij op een zonnige plaats staan, 's winters soms invriezen. De winterzon zorgt voor verdamping, die zij niet kunnen aanvullen doordat de wortels geen water uit de bevroren grond kunnen halen. Meestal herstellen zij zich echter weer snel. Verstandiger is het deze groenblijvende klimplanten tegen een noord- of oostmuur te zetten. Veel mensen zijn wat benauwd om klimplanten tegen hun huis te zetten en denken dat het huis hier schade door lijdt. Dit gebeurt echter alleen bij een oud huis, als de mortel niet goed meer is en gaten ver-

toont en klimop hier met haar hechtwortels en groeischeuten in door kan dringen. Verder is het zaak de klimplanten van ramen, deuren en dakgoot verwijderd te houden.

Het voordeel van klimplanten tegen de muur van een huis is groot. De planten beschermen de muur tegen vocht en extreme weersomstandigheden. Een huis dat begroeid is met klimplanten, krijgt een dimensie extra. Niet alleen zorgen de planten voor een groenere omgeving, wat vooral belangrijk is in een stad, maar ook verbetert een begroeide gevel het stadsklimaat. Ook het binnenklimaat heeft er voordeel van, want een gevel die met een dicht bladerdek begroeid is, kan stookkosten besparen. De keuze van een klimplant voor een huismuur is daarom heel belangrijk. De muur van een klein huisje zal binnen de kortste keren vol gegroeid zijn met een in de herfst prachtig verkleurende wingerd, *Parthenocissus*, terwijl deze plant tegen een blinde muur van een hoog huis voorlopig haar gang kan gaan. Er is geen betere isolatie dan een klimplant tegen de muur van een huis. De muur erachter zal volkomen droog blijven. Bovendien geeft een klimplant als klimop aan vogels veel nestelgelegenheid.

Muren hoeven niet altijd van een huis te zijn, ook een schuurtje of tuinhuisje kan, overwoekerd door een klimroos, een romantische aanblik geven. Een hoge tuinmuur als scheiding of een lage keermuur vormt ook een uitstekende plek voor klimplanten. Bij de lage keermuur worden de klimplanten aan de hoge kant van de muur geplant en hangen over de muur naar beneden.

Klimplanten geven aan veel vogels nest- en schuilgelegenheid.

Steunmateriaal op een muur

Of er op de muur steunmateriaal aangebracht moet worden, ligt aan de manier van klimmen. Voor een klimop *(Hedera)*, wingerd *(Parthenocissus)* en klimhortensia *(Hydrangea petiolaris)* zal dit niet nodig zijn. Zij hechten zichzelf. Wilt u echter een clematis, klimroos of kamperfoelie *(Lonicera)* tegen de muur, dan zult u ze wel een handje moeten helpen. Een gedegen oplossing is een latwerk tegen de muur. Dit latwerk kan van horizontale latten gemaakt zijn, met verticaal daarop bevestigde bamboestokken. Het kan ook een fraai gevormde trellis zijn, waar de klimplant zelf tegenop kan klauteren. Gegalvaniseerd of geplastificeerd gaas is ook geschikt en kan met muurdraadspijkers aan de muur bevestigd worden.

Steun op een muur moet op minstens 5 cm van de muur aangebracht worden. Maak de steun niet te opvallend. Een hagelwitte trellis doet elke klimplant in het niet verzinken en bovendien is hij na een paar jaar niet wit meer. Zorg er wel voor dat de steun sterk genoeg is, want een volgroeide klimmer is een heel gewicht en ook bij regen en storm moet de steun sterk genoeg zijn.

Warme zuid- of westmuren kunnen gebruikt worden voor klimplanten die niet helemaal winterhard zijn, zoals de passiebloem, *Passiflora caerulea, Solanum jasminoides* of zelfs de *Fremontodendron californicum*.

Klimplanten die zeer geschikt zijn om tegen een muur te groeien en

Pagina hiernaast: Wingerd is een zeer krachtige groeier en zal dus in toom gehouden moeten worden.

die zichzelf hechten, zijn wingerd *(Parthenocissus)*, klimhortensia *(Hydrangea petiolaris)* en klimop *(Hedera)*. Niet-hechtende klimplanten die met wat hulp een muur uitstekend kunnen bedekken, zijn blauweregen *(Wisteria)*, kamperfoelie *(Lonicera)*, clematis en uiteraard de koningin van de klimplanten, de klimroos.

Voor veel klimmers, behalve voor deze klimop, zal tegen de gevel steunmateriaal aangebracht moeten worden.

Een schutting als omheining

Een omheining van een tuin kan een schutting zijn. Tegen een dichte schutting groeien klimplanten op dezelfde manier als tegen een muur, maar schuttingen geven minder bescherming tegen vorst, omdat ze minder warmte vasthouden. Omdat een schutting onderhoud vergt en eens in de paar jaar met een (milieuvriendelijk) houtconserveringsmiddel behandeld moet worden, zijn de hechtende klimplanten niet geschikt voor een schutting. Behalve als een plant, zoals de wintergroene klimop, de hele schutting bedekt zodat er geen vocht meer bij het hout kan komen. De zwakke plek is hier echter het onderste deel van de schutting. Beter kunnen klimplanten zoals hop, *Humulus lupulus*, gebruikt worden, die ieder jaar tot de grond afsterven, zodat u in de winter de schutting kunt behandelen. Laat klimplanten zoals kamperfoelie, *Lonicera*, tegen een rek van gaas groeien, dat u met een paar krammen aan de schutting bevestigt.

Blauweregen kan grote stukken muur verfraaien.

Een groen hek   Een houten tuinhek, een oud gietijzeren hek of een modern hek van gaas zijn allemaal zeer geschikt voor niet al te wild groeiende klimplanten zoals klimrozen, bepaalde clematissen en kamperfoelie, *Lonicera*. Plaatselijk zal het hek dan nog door de klimplanten heen te zien zijn, wat een aardig effect kan geven. Wordt een hekje beplant met klimop, dan wordt het wel een zeer fraaie, groene afscheiding, maar van het hek zal op den duur niet veel meer te zien zijn.

Een combinatie van klimplanten staat vaak erg mooi. Uiteraard moeten de kleuren van de bloemen bij elkaar passen, evenals de groeiwijze en het onderhoud. Als een clematis met een roos wordt gecombineerd, moeten ze op hetzelfde tijdstip gesnoeid worden. Omdat rozen in februari-maart gesnoeid moeten worden, is het slim een clematissoort uit te kiezen die laat in de zomer en de herfst bloeit. Deze kan dan tegelijkertijd met de roos worden gesnoeid en in de herfst bloeien aan de scheuten van hetzelfde jaar.

Een haag   Van klimplanten kunnen we ook uitstekende hagen maken. Zij geven
van klimplanten   hetzelfde effect als een gewone haag, maar nemen minder ruimte in. Als ondergrond voor deze klimplantenhaag kunnen we een ijzeren hekwerk of stuk betonijzer gebruiken. Dit moet stevig verankerd worden, zodat de klimplantenhaag niet bij de eerste de beste storm omklapt. Voor zo'n haag kan klimop, *Hedera*, of wingerd, *Parthenocissus*, uitstekend gebruikt worden. Al gauw zal een ondoorzichtige

Clematis '*Rouge Cardinal*' *en* Rosa '*Pink Ocean*'.

groene afscheiding ontstaan, waarna er van de ondergrond niets meer te zien is. Om de klimplantenhaag in model te houden, moet hij wel regelmatig bijgeknipt worden.

Klimop hecht ook zeer goed op hout.

Prachtige pergola's

Pergola's, bouwwerken van houten of stenen staanders in een vierkant of rechthoekig patroon, werden al in de klassieke oudheid in tuinen gebruikt. Zo'n klassieke pergola was een massieve constructie, die paste in een grote, formele tuin. Pergola's van een dergelijke omvang kunnen we in onze doorgaans kleinere tuinen niet meer plaatsen, maar een wat eenvoudiger uitvoering geeft vaak een bijzonder effect en een ideale klimmogelijkheid voor onze klimplanten. Het is belangrijk een pergola op de juiste plaats in de tuin te situeren. Een pergola die aan het huis vastgemaakt is, functioneert als een soort veranda. Een pergola over een pad combineert het ene stuk tuin met het andere. Nog verder van het huis kan een pergola de beëindiging van de tuin vormen. Het is belangrijk dat de pergola stevig genoeg is om het gewicht van de planten te kunnen dragen. Een houten pergola doet minder massaal aan dan een gemetselde, maar de palen moeten dan wel in een betonnen voet gezet worden. De staanders van de pergola kunnen ten minste 2,5 m uit elkaar staan en ook de afstand in de lengterichting kan 2,5 m zijn. Een ideale pergola-begroeier is blauweregen, *Wisteria floribunda* en *W. sinensis*, beide met zeer veel cultivars.

TIP

Koop altijd een bloeiende blauwe- of witteregen, *Wisteria*, omdat het anders vaak erg lang kan duren voor uw plant gaat bloeien. Door een bloeiend exemplaar te kopen, weet u tenminste zeker dat u geen jaren hoeft te wachten.

De grootbloemige clematis 'Madame Le Coultre'.

Afhankelijk van de grootte van de pergola zult u moeten kiezen voor één soort klimplant of voor meerdere. Een pergola vlakbij huis, alleen begroeid met een druif, geeft een fantastisch effect doordat de druive-trossen in de herfst boven uw hoofd rijpen en het druiveblad dan prachtig verkleurt.

Vaak worden pergola's beplant met klimrozen. Dit is zeer goed moge-lijk, mits de juiste keuze gemaakt wordt. Klimrozen met hangende bloemen zijn geschikt, omdat die als ze van de dwarsbalken afhangen, goed te zien zijn. Zeer sterk groeiende klimrozen hebben op den duur alleen maar bloemen op de dwarsbalken en de staanders laten niets dan kale takken zien. Om dit te voorkomen, kunt u rozen planten die minder krachtig groeien en maximaal zo'n 3 tot 4 m hoog worden. Een andere oplossing voor het maskeren van de kale voet is onderbe-groeiing bij de pergola. Zo kunt u prachtige combinaties maken van klimplanten en vaste planten.

Afhankelijk van de soort klimplanten die u gebruikt, moet de onder-begroeiing enige of veel schaduw kunnen verdragen, omdat de klim-planten in hun groeiseizoen behoorlijk wat schaduw geven aan de planten die eronder groeien. Aan de voet van een pergola die begroeid is met bladverliezende klimplanten, kunnen in het najaar uitstekend bloembollen worden geplant, die in het voorjaar voor een fleurig geheel zorgen.

Trossen van de blauweregen komen op een pergola mooi uit.

39

**Klimrozen
en clematis voor
pergola's**

Klimrozen die zeer geschikt zijn voor pergola's, zijn 'Bantry Bay', een roze, halfgevulde doorbloeiende klimroos, 'Climbing Schnee-wittchen', met halfgevulde witte bloemen, 'Maigold' met gele bloe-men en de onovertroffen 'Zephirine Drouhin' met fuchsiaroze bloe-men. Dit zijn allemaal doorbloeiende klimrozen. Ook één maal bloeiende klimrozen zijn voor een pergola te gebruiken. Neem dan niet al te wild groeiende en combineer ze met andere bloeiende plan-ten, zodat de bloeitijd wat verlengd wordt. Er zijn natuurlijk nog veel andere klimrozen geschikt voor de pergola. Om een goede keus te kunnen maken, kunt u het beste in de zomer een rozenkwekerij bezoeken.

Veel, heel veel clematissoorten en cultivars kunnen voor de pergola worden gebruikt. Er kan een keuze gemaakt worden tussen kleinbloe-mige en grootbloemige clematissen. Om een paar kleinbloemige te noemen: *Clematis macropetala* 'Rose O'Grady' is roze; *Clematis tangutica* 'Helios' is de langstbloeiende clematis, die met gele, platte, knikkende bloemen van mei tot september bloeit en tegelijkertijd vruchtpluizen heeft, en *Clematis rehderiana* is een forse groeier met lichtgele kleine bloemen en vruchtpluizen. Van de grootbloemige cle-matissen zijn 'Jackmanii' (violetblauw), 'Niobe' (dieprood tot donker purperrood) en 'Madame le Coultre' (zuiver wit) samen met nog vele andere zeer geschikt.

De schitterende klein-bloemige clematis, Clematis tangutica *'Bill Mackenzie', lijkt sterk op* Clematis tangutica *'Helios'.*

Romantische bogen

Een boog is een aanwinst voor de tuin, mits hij niet als los element wordt geplaatst. Hij kan van hout of metaal worden gemaakt of van levende planten zoals peren of goudenregen. De boog moet een doel hebben, bijvoorbeeld als toegangspoort, als scheiding tussen twee tuingedeelten of als omlijsting van een doorkijkje. U kunt een kant-en-klare boog in omgekeerde U-vorm kopen of u kunt er zelf een maken. Zorg er wel voor dat de boog breed en hoog genoeg is om er onderdoor te kunnen lopen. Een minimumbreedte is 1,5 m en de hoogte moet minstens 2,5 m zijn. Zo kunt u er, als de boog met klimplanten begroeid is, tenminste nog zonder kleerscheuren doorheen lopen. Zelf kunt u een boog construeren door aan elke zijde twee palen in een betonnen voet in de grond te zetten en tussen deze twee palen dwarslatten te spijkeren. De bovenkant kan op dezelfde manier gemaakt worden, waardoor hij vlak wordt. Eigenlijk hebt u dan geen echte boog, maar door de klimplanten zullen de rechte lijnen toch verdwijnen en ontstaat het idee van een boog. Een echte boogvorm wordt van metaal gemaakt. Een boog kan ook van betonijzer, dat ingesmeerd wordt met lijnolie, worden gemaakt. Een boog biedt slechts plaats aan twee klimplanten, die dan ook zeer zorgvuldig gekozen moeten worden. Hij kan uitstekend begroeid worden door *Clematis viticella*, *Lonicera periclymenum* 'Serotina', Duitse pijp *(Aristolochia macrophylla)*, blauweregen *(Wisteria)* of de rozen 'New Dawn', 'Climbing Schneewittchen' of 'Veilchenblau'. Een com-

Een boog kan van hout of ijzer worden gemaakt, maar ook van planten zelf, zoals peren of goudenregen.

binatie van een roos en een kamperfoelie geeft ook een schitterend effect. Een roos en een clematis kunnen samen heel verrassend zijn. De clematis zal zich tussen de sterke rozetakken slingeren en afhankelijk van de gekozen cultivar gelijktijdig of op een ander tijdstip dan de roos bloeien. Zorg ervoor dat de snoeitijd van de clematis samenvalt met die van de roos.

Een luchtige arcade

Als er in plaats van een boog een aantal bogen achter elkaar wordt gezet, krijgen we een arcade. De bogen staan dan zover uit elkaar dat er zelfs met begroeiing ruimte tussen de bogen blijft. Een arcade stelt nog meer eisen aan de plaats dan de boog. Ten eerste moet er een pad onderdoor lopen. Voor een kleine tuin is een arcade niet geschikt, omdat hij nogal wat ruimte inneemt. Tussen de bogen moet ten minste 3 tot 4,5 m ruimte overblijven. Het is niet altijd even gemakkelijk het verschil tussen een arcade en een pergola te zien. Het kenmerk van een arcade is echter de gebogen bovenkant, terwijl de bovenkant van de pergola horizontaal is. Het effect van een arcade is wat luchtiger en minder massief dan dat van een pergola, en bovendien vaak iets romantischer. Een arcade biedt eindeloze kleurmogelijkheden, vooral als aan weerszijden van het pad de staanders van de arcade in een bloeiende border van een bijpassende kleur eindigen. Voor de begroeiing van een arcade kunnen dezelfde klimplanten als voor een pergola worden gebruikt.

Rosa *'Veilchenblau'*.

Een sfeervolle tunnel

Onder een tunnel loopt, net als bij de pergola en arcade, een pad. Een tunnel bestaat echter, in tegenstelling tot een pergola, uit een rond in plaats van een horizontaal dak, omdat de tunnel opgebouwd is uit een aantal achter elkaar liggende bogen, die dichter bij elkaar staan dan bij een arcade.

Net als bij een pergola en een arcade moet de plaats van de tunnel zeer goed gekozen worden en duidelijk ergens heen leiden. Het is dwaas zomaar een tunnel middenin de tuin te maken, omdat de tunnel dan een geïsoleerd element blijft dat geen verbinding met de tuin heeft. Bij een tunnel wordt meestal gekozen voor één soort plant. Het effect is dan des te groter. De planten zullen de achter elkaar staande bogen al snel begroeien en met elkaar een sfeervolle overkoepelende ruimte vormen.

Het is ook belangrijk dat aan weerszijden van het pad dat onder de tunnel doorloopt, een passende border is aangelegd. Een tunnel hoeft niet zo erg groot te zijn en kan, eventueel gecombineerd met een prieel aan het eind van de tunnel, zelfs in een wat kleinere tuin worden toegepast. Voor de beplanting van de tunnel kunt u zowel klimplanten als daarvoor geschikte heesters gebruiken. Blauweregen en druiven zijn heel geschikt, maar ook goudenregen, pronkbonen en zelfs pompoenen of kalebassen. Een appel- of perentunnel, gevormd van

Deze wandelgang houdt het midden tussen een arcade en een tunnel.

43

leibomen, is een boomgaard in het klein, die zeer weinig plaats inneemt.

Een pergola met staanders van trellis mag niet helemaal schuil gaan onder de klimplanten.

Een prieel met een groen dak

Een prieel is eigenlijk een open tuinhuisje of, in zijn eenvoudigste vorm, een bank met een dak erboven. Een prieel kan aan het eind van een tunnel geplaatst worden, tegen een muur of andere geschikte plek. Uw prieel wordt extra romantisch als het overgroeid is door klimplanten. Welke u hiervoor kiest, is afhankelijk van de plaats van het prieel en het onderhoud dat het vereist. Staat het tegen een muur en is de muur begroeid met klimop, dan kan het prieel ook begroeien met klimop. Het zal dan één geheel met de muur vormen. Een vrijstaand prieel kan uitstekend overgroeid worden door een klimroos en zelfs, als het een vrij groot prieel is, door een rambler. Tuinhuisjes en schuurtjes vormen natuurlijk ook een uitstekende achtergrond voor klimplanten. Vooral als het bouwsel zelf niet al te fraai is, zal het zeker aan charme winnen door de toevoeging van klimmers.

De keuze van planten is ook voor het prieel belangrijk. Staat het in de volle zon, dan zal bijvoorbeeld kamperfoelie minder geschikt zijn, omdat deze klimplant de voorkeur geeft aan halfschaduw. *Clematis viticella* en haar vele cultivars bloeien laat, van juli tot september, en zijn hierdoor uitstekend te combineren met vroegbloeiende klimmers. Bovendien hebben deze kleinbloemige clematissen geen last van verwelkingsziekte, zoals hun grootbloemige verwanten.

TIP

Het kan heel verrassend zijn om in plaats van een blauweregen een witte te planten. U kunt kiezen uit diverse 'witteregens': *Wisteria sinensis* 'Alba', *Wisteria floribunda* 'Alba', 'Longissima Alba' of 'Snow Showers'.

Omhoog langs driepoot of paal

Het verschil tussen klimrozen en ramblers is dat de meeste klimrozen doorbloeien, terwijl ramblers dit slechts eenmalig doen. De groei van ramblers is meestal zeer krachtig en zij bloeien overdadig met geurende bloemen.

In een kleinere tuin is een pergola of tunnel al gauw te veel van het goede, maar toch kunnen we hier ook op een heel aardige manier klimplanten kweken. Hebt u wel eens gedacht aan een paal of driepoot in de border? Dat neemt weinig ruimte in en het effect is verrassend. Een driepoot kunnen we van verschillende materialen maken. Het eenvoudigste oplossing is drie stevige bamboestokken op enige afstand van elkaar in de grond te zetten en de bovenkanten als bij een wigwam bij elkaar te binden. Dit is geschikt voor niet al te zware planten, zoals eenjarigen als *Ipomoea lobata (Mina)*, lathyrus, kanariekers *(Tropaeolum peregrinum)* en pronkbonen *(Phaseolus coccineus)*.

Een variant op deze wigwam is een driepootachtige vorm van rijshout. Hiervoor kunnen allerlei soorten snoeihout gebruikt worden. Maak een wigwam van een aantal goed vertakte takken, steek ze stevig in de grond en bind ze bovenaan losjes met een touw aan elkaar. Om het geheel steviger te maken kan er halverwege de takken nog een touw om gebonden worden. Het voordeel van deze 'driepoot' ten opzichte van een exemplaar van bamboe is dat de planten gemakkelijker steun vinden tussen de vele takken van het snoeihout. Een dergelijk staketsel kunt u uitstekend laten begroeien met eenjarige klimplanten zoals lathyrus, Oostindische kers en *Ipomoea*.

Een driepoot die wat steviger is dan de andere twee wordt gemaakt van bewerkt hout. Drie houten palen worden zo in de grond gezet dat

De combinatie van klimplanten en de nog zichtbare trellis maakt dit prieel tot een aantrekkelijk geheel.

Een driepoot kan in gras of border voor een klimmer worden gebruikt.

de bovenkanten elkaar raken. Deze verticale palen worden daarna met elkaar verbonden met horizontale latten. Als de driepoot 1,5 m hoog is, kunnen de palen op drie verschillende hoogten met elkaar verbonden worden. Het mooiste is de palen of latten bovenop elkaar in een punt aan te laten sluiten. Als u het hout met een milieuvriendelijk houtconserveringsmiddel hebt behandeld, zult u vele jaren plezier van deze driepoot beleven. Een dergelijke driepoot is zeer geschikt voor een niet al te wild groeiende klimroos, al dan niet gecombineerd met een clematis. Er zijn kant-en-klare klimmogelijkheden van ijzer in de handel die zo in de border geplaatst kunnen worden en er op zich al zeer decoratief uitzien.

Nog eenvoudiger dan een driepoot als klimmogelijkheid in de border is een paal. De paal kan afhankelijk van de gebruikte klimplant 1,5 tot 3,5 m hoog zijn. Om het klimmen gemakkelijker te maken kan de paal met gaas worden bekleed. De goudgele hop, *Humulus lupulus* 'Aureus', kan op deze manier gekweekt een bijzonder effect aan een border geven. Als het zo uitkomt, kunt u twee iets kortere palen met een touw verbinden zodat langs elke paal een plant kan klimmen en ze elkaar al klimmend langs het touw kunnen ontmoeten.

Actinidia kolomikta, een klimmer met bizar blad.

Trellis als verticaal of horizontaal accent
Verticale of horizontale accenten in de vorm van trellis zijn in de eerste plaats een tuinornament en in de tweede plaats steun voor klimplanten. Al in de zeventiende eeuw werd trellis in de vorm van een

obelisk in de tuin toegepast. De obeliskvorm werd gemaakt van trellis of latwerk en aan de bovenkant vaak afgewerkt met een bolvorm. In het Victoriaanse Engeland werden driepoten ook vaak van trellis gemaakt. Trellis vraagt een andere begroeiing dan een paal met gaas of een driepoot van bamboestokken. Vaak is het trellis op zich al zo mooi, dat het jammer zou zijn er planten tegenop te laten klimmen. Een obelisk van trellis vraagt om een lichte, sierlijke begroeiing zoals *Actinidia kolomikta*, winterjasmijn *(Jasminum nudiflorum)* en *Lathyrus latifolius*, de vaste lathyrus. Als de trellis maar gedeeltelijk begroeid wordt, is er ook nog een stuk van het sierlijke latwerk te zien. Een driepoot van trellis kan iets zwaarder begroeid worden, omdat de vorm wat lomper is dan van een obelisk. Maar toch is een driepoot van trellis nog af en toe te zien door de begroeiing van de passiebloem of sterjasmijn, *Trachilospermum jasminoides*.

Van de bast ontdane kleine boompjes worden hier gebruikt als klimpalen.

Klimmers in struiken, bomen en heggen

In de natuur vinden klimplanten geen muren, pergola's en driepoten op hun weg. Hier klimt een klimplant gewoon in een boom of slingert zich door een struik. Deze manier van klimmen kan ook in de tuin worden toegepast, mits er rekening met een gulden regel wordt gehouden: de groeikracht van de gastheer en van zijn gast moeten bij elkaar passen.

Een sterk groeiende klimmer zal een zwak groeiende struik het loodje doen leggen en een zwak groeiende klimmer aan de voet van een

Trellis als horizontaal of verticaal accent.

47

grote boom met dicht bladerdek zal het ook niet redden. Van deze wetenschap kunnen we wel gebruik maken door bomen die het niet al te best doen, bijvoorbeeld oude fruitbomen, expres te laten overgroeien met een weelderige klimmer zoals *Rosa* 'Kiftsgate'. Deze één maal bloeiende klimroos of rambler, met haar grote schermen roomwitte bloemetjes, kan wel 20 m hoog klimmen.

Ramblers worden gebruikt op bomen, huisjes en pergola's.

De blauweregen is ook al zo'n fanatieke klimmer die een stoere gastheer nodig heeft en een trager groeier al spoedig onder haar wurgende greep laat stikken. Bruidssluier *(Polygonum baldschuanicum* en *Polygonum aubertii)* en boomwurger *(Celastrus orbiculatus)* hebben ook een stevige boom nodig, wat blijkt uit de Nederlandse naam van de laatste klimplant. Bij de clematis is het anders. De meeste clematissoorten en cultivars zijn bescheiden gasten, die hun gastheer in zijn waarde laten. Dat geldt niet voor *Clematis vitalba*, de bosrank. Deze wilde groeier gedraagt zich als een liaan en slingert zich tot enorme hoogte in de bomen, die zij vaak verstikt onder haar groene massa. Met de andere clematissen zijn de mogelijkheden zeer groot. Zo kan een voorjaarsbloeiende clematis, zoals de grootbloemige 'Barbara Jackman' of de kleinbloemige *Clematis viticella* 'Rubra' of *Clematis alpina* 'Ruby', een vrolijke versiering vormen voor een groenblijvende struik, zoals olijfwilg of cotoneaster. Vooral de kleinbloemige clematissen groeien uitstekend in andere planten. Bomen

met een dichte kroon of bomen waar vaak takken uit breken, zijn niet geschikt. Geschikte bladverliezende bomen zijn sierkers, lijsterbes en acacia. De kleur van het blad van boom of struik kan een fraaie combinatie vormen met de kleur van de clematis. Tegen een boom met goudgeel blad komt een donkerpaarse clematis heel mooi uit. Een combinatie van een conifeer met een *Clematis montana* is ook iets om over na te denken. De conifeer is vrij statisch, soms saai en kan aardig opgevrolijkt worden door de kleurige clematisbloemen. Klimplanten kunnen wat saaie struiken die maar korte tijd bloeien, zoals weigelia, boerenjasmijn en deutzia, een nieuw leven geven.

Een verhaal apart vormen de botanische klimrozen. Het zijn niet allemaal echte klimrozen, maar sommige worden zo hoog dat ze uitstekend als zodanig dienst kunnen doen. Ze komen het mooiste uit als ze in een boom of in grote struiken groeien. De bloemen van deze rozen zijn meestal enkel en na de bloemen krijgt de roos bottels. Aan deze bottels wordt vaak de sierwaarde ontleent. De allermooiste bottels heeft *Rosa moyesii*, deze zijn oranjerood van kleur en flesvormig. De roos wordt 2 tot 3 m hoog en vormt een struik met sterk overhangende twijgen die met de korte stekels in een boom kan groeien.
Rosa filipes is een echte klimroos die wel 6 m hoog kan worden. Met haar haakvormige stekels klimt de roos met gemak in bomen. De kleine witte bloemen staan bij elkaar in trossen. De bekende cultivar

De egelantier haakt zich vast in bomen en struiken. Zonder steun gaat zij hangen.

49

'Kiftsgate' groeit sterker en heeft grotere trossen. *Rosa multiflora* heeft kleine witte bloemen en kleine oranjerode botteltjes. Deze botanische roos kan metershoog in bomen klimmen.

Ipomoea purpurea is een zonaanbidder.

Rosa rubiginosa, de egelantier, is altijd duidelijk te herkennen doordat het blad naar zure appeltjes ruikt. De bloemen zijn rozerood en de bottels oranjerood. De wat slordig groeiende roos kan de kroon van een kleine boom uitstekend versieren met bloemen en bottels. *Rosa glauca* vormt een vrij stevige struik die 3 m hoog kan worden, maar is ook geschikt om met de paarsbruine takken met blauw berijpte bladeren, roze bloemen en rode bottels in kleine bomen of door struiken te groeien. *Rosa arvensis*, de akkerroos, wordt 2 m hoog en leunt graag op andere struiken.

Eenjarige klimmers zijn ook vaak heel geschikt om in gastheren te klimmen. Kanariekers is hier een goed voorbeeld van en past met haar fijne gele bloemetjes mooi bij een grijs- of bruinbladige struik.

U moet er wel aan denken dat de klimplant en de gastheer dezelfde eisen stellen. Als een struik graag in de schaduw staat en de klimplant in de zon, hebben we een probleem. Zo is de eenjarige dagbloem, *Ipomoea purpurea* een zonaanbidder die liever over een heg groeit dan over een in de schaduw staande struik.

Uitstekende heggegroeiers zijn *Lonicera japonica*, *Lonicera periclymenum*, *Lonicera heckrottii* en *Lonicera* x *brownii* en hun cultivars.

Vaak worden kamperfoeliesoorten in wilde heggen gevonden. Kamperfoelie is te wild voor een taxusheg, maar een combinatie met meidoorn, hulst en hondsroos is wel mogelijk. Een fantastische combinatie die we veel in Engeland aantreffen, is een vrijgroeiende taxus of taxushaag met *Tropaeolum speciosum*. De helderrode bloemen, frisse lichtgroene blaadjes en later blauwe vruchten staan fantastisch tegen de donkergroene taxus. De plant sterft elk jaar voor de winter af, maar loopt ieder voorjaar weer uit.

Een bijzondere en subtiele klimplant is Tropaeolum speciosum.

Helaas is deze plant wel vorstgevoelig en moet in de winter met takken of turfmolm beschermd worden. Het kan toch nog verkeerd gaan, en daarom is het verstandig wat wortels binnen over te houden en in het voorjaar opnieuw uit te planten.

Klimmers in klimmers

Klimplanten kunnen heel goed met elkaar worden gecombineerd. Soms kan de ene klimmer de andere zelfs tot steun dienen. Een bekende en veel gebruikte combinatie is die van een clematis met een klimroos. Ze vullen elkaar, wat bloemvorm en bloemkleur betreft, heel fraai aan. De kleur die niet bij rozen voorkomt, blauw, combineert heel mooi met bepaalde tinten rozen. De grote platte bloemen van de grootbloemige clematis vormen een fraai vormcontrast met de komvormige rozen. Een mooie combinatie vormt de donker violetpaarse *Clematis* 'Etoile Violette' met de roze roos 'Climbing Mme Caroline Testout'. Zo kunnen allerlei combinaties worden gebruikt,

51

zoals een gele roos met een blauwe clematis, een roze roos met een blauwe clematis of een witte roos met een blauwe clematis. Er zijn natuurlijk ook veel combinaties mogelijk met kleuren die dichter bij elkaar liggen. Voordat een combinatie geplant wordt, moet u er wel zeker van zijn dat de kleuren van de bloemen met elkaar harmoniëren. In verband met het snoeien kunnen het beste laatbloeiende clematissen worden gebruikt. Een kleinbloemige clematis kan heel mooi gecombineerd worden met *Akebia quinata*. Kies hiervoor een roze clematis, die mooi kleurt bij de chocoladekleurige bloemen van de akebia. Een stevige klimplant zoals klimop, *Hedera*, of klimhortensia, *Hydrangea petiolaris*, kan steun bieden aan eenjarige klimplanten zoals kanariekers, *Tropaeolum peregrinum* of de ballonplant, *Cardiospermum halicacabum*.

De Wisteria *kan uitbundig bloeien, zeker als de plant zon krijgt. Als ze op een goede plek staat, kan de plant na het tweede jaar snel groeien.*

Niet klimmen, maar kruipen

De Victoriaanse tuinlieden gebruikten hun klimplanten op een bijzondere manier, namelijk als perkplant. Perken met bontgekleurde planten waren toen zeer in de mode. De kweker Jackman, die de *Clematis* 'Jackmanii' kweekte, ontdekte bij toeval dat van clematisplanten prachtig bloeiende clematisbedden gemaakt konden worden. In het begin van een zomer, in een drukke periode, waaide een aantal clematisplanten plat. Ze werden niet opnieuw aangebonden. In de zomer en de herfst bloeiden deze clematissen net zo uitbundig als de planten die wel werden opgebonden. Toen de clematissen uitgebloeid

*Lonicera pericly-
menum 'Serotina' kan
klimmen, maar ook
uitstekend de bodem
bedekken.*

waren, werden er in de perken potten met winterharde groenblijvende planten gezet, zodat het bed er niet zo kaal uitzag. Deze planten
werden dan in het voorjaar, als de clematis weer ging groeien, verwijderd.

De randen van bloemperken werden toen ook wel van bonte klimop
gemaakt, die zorgvuldig links- en rechtsom werd geleid en werd bijgeknipt. Klimop is een ideale bodembedekker. Er zijn zoveel klimopsoorten en cultivars dat er altijd wel een bij is die in de tuin als bodembedekker past. *Hedera colchica* 'Dentata Variegata' vormt met haar
blad een goede bodembedekker voor een lichte plek. Als de plaats
tamelijk donker is, kan er beter een groene klimop worden gebruikt.
Een zeer robuuste en uitermate geschikte bodembedekker is de klimhortensia, *Hydrangea petiolaris*. Deze klimplant kan bijvoorbeeld
een talud uitstekend bedekken en ervoor zorgen dat er nauwelijks
onkruid doorheen kan groeien.

Een zeer weelderig groeiende, eigenlijk klimmende bodembedekker
is de Oostindische kers. Vaak wordt deze rankende Oostindische
kers gebruikt om in boomspiegels geplant te worden. Ze zou op deze
manier bepaalde ziekten voorkomen.

Lonicera periclymenum 'Serotina' en andere kamperfoelies zijn vrij
fors groeiende bodembedekkers, die bovendien heerlijk geurende
bloemen produceren. De hoogte van de planten kan eventueel iets in
toom gehouden worden door licht snoeiwerk toe te passen.

*Kanariekers gebruikt
andere klimplanten
om hogerop te komen.*

TIP

**Klimmers als
bodemdekkers zijn
uitstekend geschikt
om er een helling of
talud mee te laten
begroeien. Door een
combinatie van
klimmers, alias
bodembedekkers, te
kiezen, zoals klim-
hortensia met
kamperfoelie, ontstaat
een afwisselend
geheel.**

De juiste plant op de juiste plaats

Een klimplant kunt u beter niet zomaar in een opwelling kopen. Er moet goed over nage-dacht worden, anders is er een grote kans dat de impulsaankoop geen lang leven beschoren is.

U moet weten wat u met de klimplant wilt. Waar komt de plant te staan: tegen de gevel van het huis, een tuinmuur of een schutting of moet ze plat op de grond blijven? Krijgt ze een plekje in de schaduw, halfschaduw of zon? Moet de plant in de winter groen blijven of mogen de bladeren afvallen? Pas na beantwoording van deze vragen kunnen we tot een juiste keuze komen. Koopt u zomaar een klim-plant, omdat er zulke leuke bloemetjes aan zitten, dan kan het gemak-kelijk gebeuren dat er voor deze plant geen goede plaats in de tuin te vinden is.

Op een goede plaats geplant is een klimmer een lust voor het oog.

Zon of schaduw

Klimplanten stellen zo hun eigen eisen aan hun standplaats De één wil zon, de ander schaduw. Hun groeiplaats in de natuur geeft er vaak aanwijzingen over. Zo groeien clematissen in hun natuurlijke omge-ving altijd aan bosranden en in hagen. Ze ontkiemen op een bescha-duwde plaats en klimmen dan snel naar het licht toe. Hieruit kunnen we afleiden dat clematissen graag met hun wortels in de schaduw staan en met hun ranken in de zon of halfschaduw. Als het wat moei-lijk is om aan deze eisen te voldoen, kunnen we wel wat noodgrepen toepassen. Zo kunnen we voor een beschaduwde voet zorgen door een forse vaste plant aan de voet te planten. Vaak wordt hiervoor ook een dakpan gebruikt. Dit is echter niet ideaal, omdat de grond hieron-der toch nog erg warm kan worden. Het is beter de bodem koel te houden door deze te bedekken met een flinke laag schorssnippers.

Pagina Hiernaast: Clematis 'Barbara Jackman'.

55

Hoewel de clematis wel warmte wil, is een zuidmuur toch minder geschikt, want zo warm hoeft het nu ook weer niet. Een muur op het noorden zal te koud zijn. Blijft dus over een west- of oostgevel. Een clematis mag nooit onder de drup van een dakgoot staan en zeker niet op een winderige plaats.

Klimhortensia doet het goed in de halfschaduw.

Schaduw en halfschaduw

Een plant die het in de halfschaduw erg goed doet, is de klimhortensia, *Hydrangea petiolaris*. Is er nog meer schaduw, dan kunt u beter klimop, *Hedera*, kiezen. Klimplanten die in de natuur in bossen en bosranden groeien, stellen ook bepaalde eisen aan de grond, die vochtig en voedzaam moet zijn. Planten die ertegen kunnen om op een zonniger plek te staan waar de grond eerder uitdroogt, zijn de winterjasmijn, *Jasminum nudiflorum*, en de wingerd, *Parthenocissus tricuspidata*. Een klimplant die geschikt is voor lichte schaduw, is de Duitse pijp, *Aristolochia macrophylla*. Deze plant heeft een paar jaar nodig om zich thuis te voelen en produceert pas daarna het zo karakteristieke, fraaie blad. *Euonymus fortunei* kan zelfs, net als de klimop, tegen tamelijk diepe schaduw. De bonte cultivars prefereren echter halfschaduw of zon. De hop, *Humulus lupulus*, kan in de halfschaduw tot schaduw, maar de goudkleurige cultivar *Humulus lupulus* 'Aurea' heeft meer licht nodig om haar kleur te behouden en zij doet het zelfs goed in de volle zon. Kamperfoeliesoorten, *Lonicera*, geven de voorkeur aan lichte schaduw. De meeste kamper-

foelies verdragen ook een plaats in de volle zon als de wortels maar schaduw krijgen. Uit deze opsomming blijkt duidelijk dat er voor elke plaats wel een klimplant te vinden is.

De goudbladige hop heeft meer licht nodig om haar kleur te behouden.

Halfschaduw en zon

Eenjarige (of eenjarig gekweekte) klimplanten vragen over het algemeen een zonnige standplaats. Krijgt bijvoorbeeld de klokwinde, *Cobaea scandens*, te weinig zon, dan zal zij zeer armoedig bloeien, evenals de dagbloem, *Ipomoea tricolor*. Niet alle eenjarigen hoeven echter in de volle zon. Zo doet Suzanne-met-de-mooie ogen, *Thunbergia alata*, het in de halfschaduw zelfs beter dan in de volle zon. Kanariekers, *Tropaeolum peregrinum*, stelt dezelfde eisen als clematis: de voeten in de schaduw en de rest in de zon.

Klimrozen zijn zonneplanten. In de schaduw zullen ze maar armetierig bloeien, terwijl ze ons op een zonnige plaats zullen verbazen door hun bloeikracht. Rozen genieten ook extra als we een mooie zomer hebben en dan nog het liefst met een nat voorjaar. De trompetbloem, *Campsis radicans*, heeft volle zon nodig om goed te kunnen bloeien. De mooie blauweregen, *Wisteria* species, is ook een echte zonaanbidder. In Frankrijk zien we deze planten, vaak zijn ze al heel oud, in de volle zon staan terwijl ze schaduw geven aan het terras eronder.

Groenblijvend en bladverliezend

Voor buiten is de keuze aan groenblijvende klimmers niet zo groot en beperkt zich eigenlijk tot een handvol planten, waarvan de klimop de

TIP

Hydrangea petiolaris, **klimhortensia, heeft een dubbelganger,** *Schizophragma hydrangeoides*. **De laatste stelt iets meer eisen en groeit het liefst in de volle zon of lichte schaduw, terwijl de klimhortensia het liefst in de halfschaduw groeit, maar zich eigenlijk overal thuisvoelt.**

bekendste is. Nu is er binnen het geslacht *Hedera* keus genoeg. Er zijn veel verschillende hedera's met allerlei bladvormen en bladkleuren.

Groenblijvend is ook *Clematis armandii*. De bladeren zijn zomer en winter glanzend groen. Deze plant wil echter een zonnige, beschutte plaats en enige bescherming in de winter. Er zijn twee heel mooie cultivars, 'Apple Blossom' die wit met roze bloemen produceert, en 'Snowdrift' die witte bloemen en donkergroen blad heeft.

Euonymus fortunei is ook wintergroen. Ook hierin is, net als bij de klimop, voldoende variatie binnen de soort. Er zijn heel mooie goud- en zilverbonte cultivars.

Fremontodendron californicum is ook groenblijvend. Alleen tegen een zonnige muur met bescherming kan deze plant overwinteren. Het schijnt dat zij alleen in haar jeugd vorstgevoelig is, maar het is toch geen gemakkelijke plant voor buiten en ze sterft soms ineens af.

Een zeer sterke kamperfoelie, die ook 's winters groen blijft, is *Lonicera japonica* 'Halliana'. Haar blad ziet er weliswaar na de winter soms wat gehavend uit, maar zij blijft groen, evenals *Lonicera japonica* 'Henryi' en *Lonicera japonica* 'Halls Prolific'. En daarmee zijn we wat groenblijvende, winterharde klimmers betreft wel ongeveer uitgepraat.

Een zeer vorstgevoelige groenblijver is *Berberidopsis corallina*, die alleen op een zeer beschutte plaats gekweekt kan worden. Het is beter

Alle trompetbloemen, hier Campsis radicans *'Flava', hebben veel zon nodig om te kunnen bloeien.*

Fremontodendron californicum *is* groenblijvend.

58

om de plant in de serre te zetten. Voor de serre liggen de zaken natuurlijk toch anders. Hier worden veel planten het hele jaar aan de groei gehouden. Maar ook in de serre kunnen we duidelijke groenblijvers kweken zoals de bruidsbloem, *Stephanotis floribunda*, en *Solanum crispum*. Andere serreplanten, zoals *Gloriosa*, sterven bovengronds zelfs helemaal af.

Eenjarige klimplanten

Eenjarige klimplanten hebben haast. Ze hebben maar één seizoen de tijd om zich waar te maken. In het voorjaar zaaien, in de zomer bloeien en in de herfst zaad vormen en weer afsterven is niet niks, vooral als je het aan je naam verplicht bent de lucht in te klimmen. Ze stellen daarom wel wat eisen. De meeste willen graag de volle zon, veel water en veel mest om dit karwei te klaren. Het zijn niet allemaal echte eenjarigen. Een niet al te hoge klimmer die eenjarig gekweekt wordt, is *Rhodochiton atrosanguineus*. Deze plant wordt vaak als eenjarige gekweekt omdat zij vorstgevoelig is. Met enige zorg kan zij echter 's winters vorstvrij overgehouden worden. Het is een uitstekende plant voor de serre, waarvoor het predikaat eenjarige niet opgaat.

Eccremocarpus scaber is eigenlijk ook een overblijvende plant, die buiten wel als eenjarige wordt gekweekt. Deze mooie geel-, roze- of roodbloeiende plant kan echter in de serre vele jaren prachtig bloeien. *Asarina barclaiana* en *Asarina erubescens* zijn overblijvende plan-

Solanum crispum *'Glasnevin' tegen een muur.*

*In een serre is
Rhodochiton
atrosanguineus
overblijvend.*

Lonicera japonica
'Hall's Prolific'.

ten die eenjarig worden gekweekt. De eerste bloeit blauw en de twee-de roze. Het zijn planten die geschikter zijn voor de serre.

Adlumia fungosa, een rozebloeiende klimplant met heel fijn ver-deeld, varenachtig lichtgroen blad is tweejarig. Zo'n plant wordt aan het eind van de zomer gezaaid, blijft de winter over en gaat in het voorjaar klimmen en bloeien.

Een plant waar nogal eens verwarring over bestaat of zij werkelijk eenjarig is, is *Humulus scandens*, de Japanse hop. De meeste hop-planten die gekweekt worden, zijn namelijk overblijvend, maar dit is hun eenjarige nichtje. Deze zeer snel groeiende plant presteert het om in één seizoen 6 m hoog te worden. De plant kan met het mooie, licht-groene blad gedurende korte tijd een prachtig zonnescherm vormen en is een van de weinige eenjarigen die ook in de halfschaduw kan groeien.

De bekendste eenjarige klimplant is de lathyrus, *Lathyrus odoratus*. Het is een klimplant die nogal eens in de moestuin wordt gekweekt als snijbloem. De plant is niet geschikt om tegen een muur gezet te worden, maar houdt meer van een luchtige plaats. Lathyrus eist zon, zeer voedzame grond en moet langs touw of gaas worden geleid. De echte lathyruskwekers leiden haar langs schuin vastgemaakt touw en halen de zijscheuten en de ranken weg. Zo krijgen ze bloemen aan lange stelen. Planten we lathyrus als kleurige afscheiding, dan hoeft dat natuurlijk niet. Moderne grootbloemige rassen geuren minder dan

Lathyrus odoratus. U kunt een mengsel kiezen of een ras van één bepaalde kleur.

Oostindische kers is een bekende en gezellige ouderwetse klimmer. Er zijn ook niet-rankende soorten, maar *Tropaeolum majus*, waarvan er verschillende cultivars in de zonnigste kleuren zijn, kan meters hoog klimmen. Kanariekers, *Tropaeolum peregrinum*, is een familielid met heel andere, gele bloemetjes. Het is een vrij onbekende klimmer, die we gelukkig steeds meer in tuinen zien verschijnen.

De meeste eenjarige of eenjarig gekweekte klimplanten zullen we zelf moeten zaaien. Een paar soorten zien we echter wel bij de bloemist, bijvoorbeeld Suzanne-met-de-mooie-ogen, *Thunbergia alata*. Deze plant kan veel beter buiten groeien dan in een pot in de kamer en heeft verrassend mooie gele, witte of oranje bloemen met een heel donker hart. Ook de driekleurige winde, *Ipomoea tricolor*, zien we wel in potten. Deze plant voelt zich buiten in de volle grond echter veel beter thuis.

Een winde met prachtig geurende bloemen, die echter wel wat eisen aan haar omgeving stelt, is *Calonyction album*. De bloemen gaan 's nachts open en 's ochtends weer dicht. Ze is geschikt voor de serre en voor een zeer beschutte plaats buiten, want temperaturen beneden de 10 °C kan zij niet verdragen.

Een eenjarige klimmer met bijzondere bloemen is de klokwinde,

Een trellis met een fraai doorkijkje.

Cobaea scandens. Deze plant met haar blauwe of witte bloemen groeit onder gunstige omstandigheden heel hard.
Een zeer stevige, bijzonder bloeiende, eenjarig gekweekte klimmer is *Ipomoea lobata (Mina lobata)*. Ze vraagt wel, net als alle eenjarigen, een warme plaats.

De bijzonder bloeiende Ipomoea lobata.

Eenjarigen die om hun vruchten worden gekweekt, zijn de ballonplant, *Cardiospermum halicicabum*, en de verschillende pompoenen en kalebassen, *Cucurbita*. De ballonplant heeft decoratieve, opgeblazen vruchtjes in de vorm van ballonnetjes. Pompoenen en kalebassen worden meestal niet als klimplant gebruikt, maar kruipen met hun meterslange ranken over de grond. Als er echter rassen gebruikt worden met niet al te grote vruchten, staat het heel decoratief om een hek of een boog met een pompoen of kalebas te laten begroeien. Het zijn wel wilde groeiers, die niet alleen veel ruimte eisen, maar ook vruchtbare grond en veel water. Dat de hangende vruchten niet te zwaar mogen zijn, is wel duidelijk. Een reuzenpompoen is dan ook een minder geschikte klimplant.

Klimplanten die zeer veel aangeplant worden en waar een groot aantal cultivars van bestaat, verdienen het apart genoemd te worden. Er zullen maar weinig mensen zijn die niet weten wat kamperfoelie of lathyrus is. Blauweregen en klimop kennen de meesten ook en klim-

rozen en clematis zijn ongetwijfeld de bekendste klimplanten. Maar niet iedereen weet dat niet alle kamperfoelies ruiken, dat er groenblijvers bij zijn. Dat je een geënte blauweregen moet kopen en geen gezaaide. En hoe komt het toch dat de lathyrus het elk jaar zo slecht doet? Dat niet alle klimrozen hetzelfde zijn, is duidelijk, maar of nu zo bekend is dat er één maal bloeiende en doorbloeiende zijn? Bij de clematis is het helemaal verwarrend. Wat is nu precies het verschil tussen groot- en kleinbloemigen, en waarom gaat die mooie clematis ineens dood? Hieronder proberen we op al die vragen een antwoord te geven.

Een bonte groenblijvende klimop en een rode clematis vormen een mooie combinatie.

Kamperfoelie De wilde kamperfoelie, *Lonicera periclymenum*, komt in de bossen en duinen in het wild voor. Tijdens een avondwandeling verraadt de heerlijke geur haar plaats. Door de geur worden nachtvlinders aangetrokken die zich te goed doen aan de nectar. Tegelijkertijd zorgen ze voor de bestuiving van de bloemen, waarna er rode, kleverige bessen aan de kamperfoelie verschijnen. De bloemen, die in een hoofdje bij elkaar staan, zijn aan de buitenkant roodachtig en van binnen geelwit. De bovenste bladeren zijn niet met elkaar vergroeid, in tegenstelling tot *Lonicera caprifolium*, waarvan de bovenste bladeren wel vergroeid zijn. Van *Lonicera periclymenum* zijn er verschillende cultivars. Hiervan zijn 'Belgica' en 'Serotina' de bekendste. 'Belgica' (geelroze) bloeit in mei-juni, 'Serotina' (paarsrood) iets later. Uit 'Belgica' is 'Belgica Select' geselecteerd als de best bloeiende vorm. Een langbloeiende (mei-oktober) vrijwel witte cultivar is 'Cream Cloud'. 'Graham Thomas' bloeit van mei tot juli met witcrème bloemen. 'Serpentine' is net als 'Serotina' paarsroze van kleur, maar begint al in april te bloeien.

Lonicera x *americana* is een snelgroeiende kamperfoelie die ook op stam gekweekt kan worden. De plant bloeit van juli tot september met rozewitte bloemen die heerlijk geuren. Een kamperfoelie die u niet in de tuin moet zetten als u wilt genieten van de geur van de bloemen is *Lonicera* x *brownii*, die te herkennen is aan de kortere, oranjerode bloemen. Ze is helaas geurloos. Alleen de cultivar 'Fuchsioides' geurt licht. De bloemen van deze cultivar zijn iets groter. De bekendste cultivar is 'Dropmore Scarlet'. Ze bloeit lang en is oranjerood van kleur.

Lonicera *x* brownii 'Dropmore Scarlet'.

Lonicera etrusca is net als *Lonicera caprifolium* te herkennen aan de vergroeide bovenste bladparen. De in mei-juni bloeiende rozegele bloemen krijgen hierdoor een mooi, groen kraagje.

De meeste kamperfoelies zijn wilde groeiers. *Lonicera* x *heckrottii* is wat dit betreft wat bescheidener. Deze oranjeroze bloeiende soort wordt na jaren maar 3 m hoog en komt de eerste vijf jaar niet verder dan 1,5 m. Meestal wordt de cultivar 'Goldflame' verkocht, een zeer geschikte kamperfoelie voor de kleinere tuin.

Dat er ook nog zoiets bestaat als (half-)groenblijvende kamperfoelies is meestal niet bekend. De Japanse kamperfoelie heeft behaard blad

dat er 's winters niet af valt. De plant kan er echter na de winter wel wat verfomfraaid uitzien, wat door de voorjaarsgroei weer wordt goedgemaakt. De bloemen geuren en zijn witgeel. De langstbloeiende is *Lonicera japonica* 'Halliana'. Een van de mooiste Japanse kamperfoelies is *Lonicera japonica* var. *repens* met paarsrode en rozewitte bloemen. Het blad is iets paarsgetint. Deze kamperfoelie kan op stam worden gekweekt. Japanse kamperfoelie groeit goed over een hek of door struiken, maar is voor de groei tegen een muur minder geschikt. Nog twee niet-geurende kamperfolies zijn *Lonicera tellmanniana* en *Lonicera tragophylla*. De kleur van de bloem van *L. tellmaniana* is fel oranjegeel en de bladparen zijn met elkaar vergroeid. De plant is iets vorstgevoelig, net als *L. tragophylla*, die met gele bloemen bloeit. Niet alle kamperfoelies klimmen trouwens. Er zijn ook kamperfoeliesoorten die kleine of grote struiken vormen. Zij worden struikkamperfoelie genoemd.

Kamperfoelie kan niet alleen als bodembedekker en als klimmer toegepast worden, maar kan ook op stam worden gekweekt.

Lathyrus Om te beginnen zijn er twee soorten lathyrus die we veel in de tuin aantreffen. De vaste lathyrus, *Lathyrus latifolius* (in de Flora 'brede lathyrus' genoemd), en de eenjarige lathyrus, *Lathyrus odoratus*. De vaste lathyrus heeft bijna geurloze bloemen en kan uitstekend door grote struiken groeien. Opbinden tegen een hek of schutting kan ook. De plant vormt zelfs een uitstekende bodembedekker. De bloei is zeer uitbundig en lang van juni tot september, met de bekende vlinderbloemen in een tros aan het eind van een lange bloemsteel. Deze lathyrus doet het eigenlijk overal, maar geeft toch de voorkeur aan een plaats in de volle zon tot lichte schaduw. Er zijn verschillende cultivars. Zo heeft 'White Pearl' zuiver witte bloemen en 'Pink Pearl' zachtroze.

Over de eenjarige lathyrus kan een boek vol worden geschreven. Deze planten worden uit zaad gekweekt om hun mooie bloemen. De bloemen van de eenjarige lathyrus kunnen net als die van de vaste soort als snijbloem worden gebruikt en de laatste tijd zien we steeds meer lathyrusbloemen bij de bloemist. Was dit vroeger altijd een gemengd bosje, tegenwoordig zijn ze ook op kleur te koop. De eenjarige lathyrus geurt, op een enkele uitzondering na, heerlijk. In de loop van de tijd heeft de kwekerswereld zich met zoveel enthousiasme op dit gewas gestort, dat er een eindeloze variatie aan kleuren en vormen is ontstaan. Er zijn grootbloemige en kleinbloemige, paarse, blauwe, lila, zalmkleurige, rode en witte cultivars, al dan niet met een gegolfde rand. Er zijn zelfs tweekleurige.

Er bestaat in Nederland een Lathyrusvereniging en elke zomer zijn er overal in het land lathyrustentoonstellingen. Hier laten amateurkwekers hun produkten zien en het resultaat van hun arbeid is vaak grandioos. De zaden bestellen zij bij gespecialiseerde kwekers in Engeland, omdat daar het aanbod veel groter is dan hier. Het zal dus wat moeite kosten om aan zaad te komen dat op kleur wordt verkocht. De meeste tuincentra hebben alleen zakjes met gemengd zaad. Het op de

Vroeger werd lathyrus altijd tegen rijshout gekweekt. Dit is ook nu nog een goede methode.

Moderne klimsteun voor eenjarige klimplanten.

kop tikken van goed zaad is echter maar een kleinigheid vergeleken bij wat er dan moet gebeuren om lathyrus van tentoonstellingskwaliteit te krijgen. Nu hoeft niet iedereen zulke perfecte, langstelige bloemen te kweken en zijn de meeste mensen al met minder tevreden. Toch kunnen we van de tentoonstellingenkwekers veel leren. Volgens de Lathyrusvereniging is de volgende manier van lathyrus kweken de beste.

In de eerste plaats moet de grond 75 cm diep worden gespit en flink gemest. Dit mesten kan het beste al in het najaar gebeuren. Per vier strekkende meter is ongeveer een kruiwagen stalmest nodig. De planten worden van eind januari tot begin februari op warmte gezaaid. Dit kan in de vensterbank. Als de zaden opgekomen zijn en de plantjes hanteerbaar zijn geworden, worden ze verspeend in potjes met een doorsnede van 7 cm. Als de plant twee volledig ontwikkelde blaadjes heeft, wordt zij eventueel getopt. Aan de stam zitten twee ogen die uit gaan lopen. Zodra ze goed uitgegroeid zijn, kan de oorspronkelijke plant teruggenomen worden. Uiteindelijk wordt op de beste van deze twee uitlopers verder gekweekt. Daarna worden de planten koud verder gekweekt. Zouden ze dan in de vensterbank blijven staan, dan zouden ze te veel rekken. De echte tentoonstellingskweker zet ze dan in een platte bak, vrij dicht onder het glas. Omstreeks 1 april worden de plantjes buiten in de diepe, losgemaakte, flink bemeste grond gezet. De planten hebben een zonnige, open plaats nodig en moeten

Lonicera *x* brownii *'Orange Drops'*.

gesteund worden. Meestal gebeurt dit door rekken met verticale draden, waaraan de planten worden vastgebonden. Om lange rechte stelen te krijgen, worden de ranken namelijk verwijderd. Zij nemen
voedsel van de plant. De planten worden ook gediefd, dat wil zeggen
dat uit iedere bladoksel de nieuwe scheut wordt verwijderd. Zo krijgt
lathyrus grote bloemen aan zeer lange, rechte stelen.

Lathyrus is een heel bijzondere snijbloem, die op water nog steeds
zorg nodig heeft. Omdat de bloemsteel behaard is, heeft de plant de
neiging om aan de buitenkant van de steel vocht op te zuigen. De
bloemen moeten dus op een klein laagje water worden gezet, omdat
ze anders smetten. Door snijbloemenvoedsel wordt de houdbaarheid
verlengd.

De moeite die tentoonstellingskwekers voor hun lathyrus doen, is
veel mensen misschien te gortig. Toch kunnen we van hen leren dat
lathyrus zeer goede grond nodig heeft en een zonnige open plaats. In
plaats van tegen een rek met draden kan lathyrus ook tegen rijshout
worden gekweekt. Als we de ranken niet, zoals de tentoonstellingskwekers, weghalen, zullen de planten zich hier zelf aan vasthouden.

Behalve *Lathyrus latifolius* en *Lathyrus odoratus* zijn er ook nog
andere lathyrussoorten die, zij het met enige moeite, bij een gespecialiseerde kweker te vinden zijn. *Lathyrus tuberosus*, de aardaker,
komt nog zeer zeldzaam in het wild voor. Onder de grond hebben ze
knollen die vroeger wel gegeten werden. Het blad heeft hechtranken

Lathyrus sativus
'Azure Blue' heeft fel-
blauwe bloemetjes.

Het enten van wisteria's kan hoog of laag gebeuren. Dit is een wisteria op stam.

en de bloemen zitten met drie tot negen exemplaren bij elkaar aan een steel. Ze kunnen ongeveer 1 m hoog worden, zijn geschikt als bodembedekker en kunnen door struiken groeien.
Lathyrus grandiflorus is een vaste plant uit Zuid-Europa. De grote paars met roze bloemen zitten met twee of drie bij elkaar aan de steel. *Lathyrus sylvestris*, de boslathyrus, wordt 2 m hoog en heeft trossen van vier tot tien roze bloemen, die groen en paars gevlekt zijn. *Lathyrus sativus* is eenjarig en niet erg opvallend en draagt kleine blauwe bloemen. De cultivar *Lathyrus sativus* 'Azure Blue' heeft een schitterende blauwe kleur. *Lathyrus sativus* 'Albus' is wit.

Blauweregen

Net zo lekker als de kamperfoelie en eenjarige lathyrus geurt de blauweregen. Deze windende houtige klimplant maakt van elk huis een romantische cottage. Ze hebben volle zon nodig om goed te kunnen groeien en bloeien. Het duurt altijd een jaar of drie voor een blauweregen gaat bloeien. De eerste jaren heeft de plant nodig om aan de groei te gaan. Nu kan het wel eens gebeuren dat het heel erg lang duurt voor een blauweregen bloeit en dat tijdens de bloei blijkt dat de bloemtrossen ook niet zo zijn als we gedacht hadden. De reden hiervan is dat er nogal eens gesjoemeld wordt met de wisteria's. Als het goed is, moeten ze geënt worden op een onderstam. De onderstam zorgt dan voor de goede groei en de ent voor de goede cultivar. Een cultivar is een gekweekte variëteit die niet door zaaien terugkomt, maar wel door stekken of enten. Wat is er nu gebeurd met de wisteria die maar niet wil bloeien? Die is gezaaid en uit het zaad groeit een plant die niet precies dezelfde eigenschappen heeft als de ouderplant. Het feit dat er bij het tuincentrum een kaartje met de juiste naam aan zat, doet daar niets aan af. Dat hoort bij het gesjoemel. Het is ook niet te zien of de wisteria geënt of gezaaid is. Waar het dan wel aan te merken is, is aan de prijs. Een gezaaide plant is veel goedkoper. Hier geldt dus zeker dat goedkoop duurkoop is. Als u pas na jaren wachten ontdekt dat de bloemen die aan de plant komen niet zijn wat u verwacht had, ligt u inmiddels jaren achter. Maar weinig mensen besluiten om de inmiddels flink gegroeide wisteria dan maar te vervangen en blijven zitten met een plant die ze zich anders hadden voorgesteld.

Doordat de planten vaak zo laat gaan bloeien, zijn er ook allerlei verhalen over de juiste snoeiwijze ontstaan. Zo zouden de zijscheuten in de zomer tot 15 cm en in de winter weer tot 2 of 3 knoppen teruggesnoeid moeten worden. Volgens deskundigen hoeft de *Wisteria* echter helemaal niet gesnoeid te worden. Zou dit wel gebeuren, dan worden juist vaak de bloemknoppen weggesnoeid. De *Wisteria* wordt tijdens het opkweken op de kwekerij wel gesnoeid, omdat het anders een in elkaar groeiende warboel zou worden.

Er zijn twee belangrijke soorten blauweregen, die elk een aantal cultivars hebben. *Wisteria floribunda*, de Japanse blauweregen, groeit in het wild in de bossen, het kreupelhout en langs bergbeken in Japan. De plant wordt daar wel 20 m hoog. Bij ons zal ongeveer 10 m haar maximale bereik zijn. De geurende bloemtrossen die in mei verschijnen, kunnen 30-50 cm lang zijn. Een uitzondering hierop vormt *Wisteria floribunda* 'Macrobotrys', want deze blauweregen heeft trossen van 1-1,5 m lang. Een fantastische plaats voor deze spectaculaire blauweregen is aan weerszijden van openslaande tuindeuren. Als de planten dan boven de deuren langs worden geleid, zullen de bloemen als een geurend gordijn fungeren. Roze cultivars van de Japanse blauweregen zijn: 'Lipstick' en 'Pink Ice'. 'Rosea' is mauve en 'Alba', 'Longissima Alba' en 'Snow Showers' zijn wit. 'Violaceae Plena' heeft dubbele lila bloemen. Bij de Japanse blauweregen winden de ranken met de klok mee, in tegenstelling tot de Chinese blauweregen, *Wisteria sinensis*, die haar ranken tegen de klok in windt. Deze blauweregen groei nog weelderiger dan de vorige en kan wel 30 m hoog worden. Deze klimplant is dan ook uitermate geschikt om in een boom te groeien. De bloemtrossen verschijnen in het voorjaar en vaak heeft de plant in de nazomer nog een nabloei. De bloemen geuren sterker dan die van de Japanse kamperfoelie. Cultivars van *Wisteria sinensis* zijn 'Alba', wit; 'Prematura', lila en vroegbloeiend; 'Prolific' lila met iets langere trossen.

Wisteria x formosa is een kruising tussen *Wisteria sinensis* en *Wisteria floribunda*. Bijzonder hieraan is dat alle bloemen van een tros

Klimop bloeit en krijgt pas vruchten als zij volwassen is.

Pagina hiernaast: Blauweregen wordt vaak rond ramen en deuren geleid.

gelijktijdig opengaan. De meest gekweekte cultivar is de blauwe *Wisteria* x *formosa* 'Issai'.

Klimop met clematis gecombineerd levert in de herfst een verrassend beeld op.

Klimop Klimop is zo overbekend dat het lijkt of iedereen er alles al van weet. Maar als iemand 100 stuks bloeiende *Hedera helix* 'Arborescens' koopt om over een talud te laten groeien en na tien jaar nog zit te wachten tot ze de bodem nu eindelijk eens bedekken, dan blijkt het tegendeel. Klimop kruipt en klimt in haar jeugd en doet dit niet meer in een volwassen stadium. De plant maakt ook alleen bloemen en bessen aan volwassen takken. Uiteindelijk zal elke klimop deze takken gaan produceren, als zij maar niet gesnoeid wordt. Door de snoei wordt de klimop steeds verjongd zodat er steeds weer klimmende takken ontstaan. Door stekken te nemen van volwassen takken krijgen we een struikklimop, zoals *Hedera helix* 'Arborescens'. Deze struik zal dus niet gaan kruipen of klimmen, maar wel meteen bloemen en vruchten gaan produceren. Zo kan het gebeuren dat klimop ineens van de muur af komt zetten, omdat er te veel volwassen, niet hechtende ranken gevormd zijn. De oplossing is de plant regelmatig te snoeien zodat zij weer nieuwe ranken maakt. Voordat die ranken volwassen zijn, duurt dan wel weer even.

Bij 'Klimplanten van A tot Z' worden verschillende cultivars van *Hedera colchica*, *Hedera helix* en *Hedera hibernica* beschreven.

TIP
Als blauweregen tegen een muur of over een pergola groeit, moet er genoeg ruimte zijn om de bloemtrossen te laten hangen.

Doordat er zoveel verschillende hedera's zijn, is het mogelijk er voor elke situatie wel een te vinden. Zo verschillen ze niet alleen in uiterlijk, maar ook in groeikracht.

Klimop kan natuurlijk gewoon tegen de muur groeien en deze bedekken met een groen of bont bladertapijt. Zo vormt ze een ideale schuil- en nestelplaats voor allerlei dieren. Van klimop kunnen echter ook bepaalde figuren op de gevel worden gemaakt. Zo kan klimop als een guirlande langs een touw worden geleid of als krans om een metalen hoepel. Ook kunnen er omlijstingen van ramen mee worden gemaakt. Er zijn zelfs dierenfiguren tegen gevels te vinden die gemaakt zijn van klimop. Hoe gedetailleerder de figuur, hoe kleiner het klimopblad moet zijn. Grootbladige klimop als *Hedera colchica* is hiervoor niet geschikt. De klimop wordt niet alleen over een vorm geleid, maar ook geknipt om de vaak onstuimige groei in goede banen te leiden.

Klimop doet het ook in een pot uitstekend en ook hier kan er wat met de klimeigenschap worden gedaan. Van kleinbladige klimop, waarbij de leden (de stukjes tussen twee knopen waar de blaadjes aanzitten) niet te lang zijn, kunnen allerlei figuren gemaakt worden. Als basis wordt hiervoor een draadfiguur gebruikt of een model van kippegaas, gevuld met sphagnum. Bij de ene manier groeit de klimop in een pot, waarin ook de draadfiguur staat. De ranken worden over het draad geleid tot dit bedekt is. Zo kan vrij snel een bol, kegel of een of ander dier gevormd worden. Bij de andere manier wordt een draadmodel

Van klimop kan iedere gewenste figuur geleid en geknipt worden.

met sphagnum bekleed en gevuld, en worden hierin kleine klimop-
plantjes of stekken gezet. De draadfiguur zal snel groen worden.
Vooral in Amerika worden veel grote gevulde draadfiguren, begroeid
met klimop gemaakt. Zo kunnen gasten op een feest worden begroet
door een manshoge pinguinbutler met een bef van bonte en een jas
van groene klimop.

Klimop is dus niet alleen als klimplant en als bodembedekker te
gebruiken, maar u kunt er ook nog figuren van maken.

Clematis Clematis is een van de klimplanten die we het meest in tuinen aantreffen. Geen wonder, want de keuze is zeer groot en de bloemen zijn
haast niet te weerstaan. Zelfs iemand die niets van planten weet, kan
nog wel een clematis herkennen. In 'Klimplanten van A tot Z' wordt
vermeld dat er ongeveer 250 botanische soorten en 500 hybriden en
cultivars zijn. Uit dit enorme aanbod is een keuze gemaakt van de
aantrekkelijkste en sterkste clematissen. Er is een enorme variatie
in deze klimplanten. Er zijn sterk en zwak groeiende planten, kruidachtige en houtige, klimplanten en planten die niet of nauwelijks
klimmen.

De bloemvormen, kleuren en groeivormen zijn zeer gevarieerd. Er
wordt verschil gemaakt tussen kleinbloemige en grootbloemige clematissen. Maar wat bij de ene kweker als kleinbloemig wordt aangeboden, is soms bij de andere grootbloemig.

Clematis
'Violet Queen'.

Grootbloemige clematis tegen een latwerk op een muur geleid.

De grootbloemige clematissen worden het meest gekweekt. Ze hebben grote, platte, opvallend gekleurde bloemen en zijn ontstaan uit kruisingen tussen verschillende soorten. Hiervoor zijn maar weinig in Europa inheemse soorten gebruikt, vaker de grootbloemige soorten uit Oost-Azië.

Tot de kleinbloemige clematissen worden de kleinbloemige botanische soorten gerekend. Tot zover lijkt het eenvoudig, maar ook met deze kleinbloemigen is men gaan kruisen en zo zijn er zijn cultivars ontstaan die meestal een andere bloemvorm hebben en kleiner zijn dan de grootbloemige hybriden. Deze cultivars worden ook tot de kleinbloemige clematissen gerekend. Een ander verschil tussen kleinbloemige en grootbloemige is dat kleinbloemige niet of nauwelijks vatbaar zijn voor de beruchte clematis-verwelkingsziekte. De grootbloemige clematissen hebben hier nogal eens last van. Zieke, oude of zeer jonge, pas aangeplante planten zijn hier gevoeliger voor. De ziekte wordt zichtbaar door het plotseling afsterven van een rank of van de hele plant. De plant kan in één nacht slap gaan hangen en de volgende dag dood zijn. De clematis-verwelkingsziekte wordt veroorzaakt door bepaalde schimmels. Doordat de schimmel de wortels van de plant binnendringt, kan deze geen water meer opnemen, verwelkt en sterft af. Tegen deze ziekte is geen kruid gewassen. Het enige wat we kunnen doen is de jonge plant bij het planten ongeveer 20 cm dieper te zetten, zodat de plant weer uit de slapende ogen onder de grond

Clematis kan ook voor bijzondere doeleinden dienen.

75

Een gemetselde pergola vormt een mooi contrast met het omringende groen.

terug kan komen als ze afsterft. Dit kan zelfs nog na tien tot vijftien jaar gebeuren.

De grootbloemige clematissen met hun grote, platte bloemen zijn het bekendst, maar de bloemvorm bij kleinbloemige clematissen is veel gevarieerder. Sommige bloemen staan, andere knikken en weer andere hangen als klokjes aan de takken. Het is de moeite waard, ook al doordat ze beter bestand zijn tegen de verwelkingsziekte, eens op de kleinbloemigen te letten. Bovendien hebben de meeste kleinbloemigen naast hun bloemen ook nog vruchtpluis, waardoor ze ook later in het seizoen nog aantrekkelijk zijn. De cultivars van de kleinbloemigen zijn trouwens niet zo erg kleinbloemig meer. Er zijn ook al gevulde cultivars verschenen.

Over het algemeen wordt het erg moeilijk gevonden om clematissen te snoeien. Door de grootbloemige in groepen naar bloeitijd in te delen, wordt dit probleem uit de weg geholpen. De kleinbloemige clematissen worden niet of nauwelijks gesnoeid. In 'Klimplanten van A tot Z' wordt nader op de snoei ingegaan.

De hangende klokjes van Clematis viticella *'Betty Corning'.*

Klimrozen

Er zijn allerlei soorten klimrozen. Meestal worden ze in twee groepen verdeeld: doorbloeiende klimrozen en één maal bloeiende klimrozen. Eén maal bloeiende klimrozen worden in Engeland ramblers genoemd, waarbij grootbloemige en kleinbloemige ramblers worden onderscheiden. De doorbloeiende klimrozen groeien meestal wat stij-

ver en minder overdadig dan de één maal bloeiende klimrozen. De laatste groep heeft ook meestal trossen met kleinere bloemen, terwijl de eerste groep vaak grotere bloemen heeft. De doorbloeiende klimrozen worden over het algemeen tegen een muur geleid, waar ze van de warmte kunnen profiteren. Het zijn ook uitstekende klimplanten voor het laten begroeien van een pergola, boog of arcade. Door de hoofdtakken zo horizontaal mogelijk aan te binden, zullen over de hele lengte meer bloeischeuten ontstaan. Als een klimroos tegen een pilaar van een pergola groeit, is dit moeilijker. Dit probleem wordt echter opgelost door de takken spiraalsgewijs rond de pilaar te leiden. Bereid de grond al voor het planten van een klimroos goed voor. Zorg voor voldoende mest en water. Rozen kunnen slecht tegen droge grond.

Dat klimrozen niet iets van de laatste tijd zijn, bewijzen de één maal bloeiende klimroos 'Blush Noisette' en 'Félicité et Perpétue'. De eerste stamt uit 1817 en de tweede uit 1827. 'Blush Noisette' heeft lilaroze bloemen die klein en bijna geheel gevuld zijn. 'Félicité et Perpétue' heeft vrij grote, gevulde, roomkleurige bloemen die heerlijk geuren. De planten bloeien rijk.

'Gloire de Dijon' is een beroemde oude klimroos, die al in 1853 werd geïntroduceerd. De gevulde, gekwartierde bloemen zijn rozegeel en geuren heerlijk.

'Blush Noisette' is een succesvolle roos sinds 1817.

Nog zo'n oude (1879) klimroos is 'Madame Alfred Carrière'. Het is een sterke, rijkbloeiende witte klimroos, die zelfs nu nog geen waardige concurrenten heeft.

'Climbing Lady Hillingdon' is een van de beste nog overgebleven theerozen. De kleur is abrikoosgeel.

'Zéphirine Drouhin' is een bourbonroos. Deze zeer rijk en langbloeiende klimroos stamt al uit 1868. De bloemen zijn halfgevuld en fuchsiaroze.

Een klimmende, doorbloeiende theehybride is 'Altissimo' met enkele bloedrode bloemen, die beter niet tegen een rode bakstenen muur gezet kan worden. De bloemen geuren niet. De roos bloeit uitbundig en de bladeren zijn groot en donker matgroen.

De klimmende theehybride 'Elegance' heeft bijzondere bloemen, die geel zijn als ze opengaan en later citroengeel worden.

Een sterk groeiende Engelse roos, 'Constance Spry', kan ook heel goed als klimroos worden gebruikt. De roos bloeit één maal, maar dan ook zo uitbundig dat aanplant zeer de moeite waard is. De grote bloemen zijn zachtroze, gevuld en komvormig, en geuren heerlijk.

Tot de doorbloeiende klimrozen horen 'Golden Showers' met lichtgele, halfgevulde bloemen; 'Händel', met kleine halfgevulde bloemen die bijzonder gekleurd zijn, wit met een donkerroze rand; 'New Dawn' heeft mooi gevormde spitse knoppen en middelgrote parelroze

'Constance Spry' is een hooggroeiende Engelse roos die ook als klimroos gebruikt kan worden.

Rosa *'Dortmund'*.

Rosa *'Climbing Schneewittchen'*.

gekleurde bloemen. 'New Dawn' is een van de meest ziekteresistente rozen. 'Dortmund' is ook een doorbloeiende roos met enkele rode bloemen en een wit hart; 'Climbing Schneewittchen' heeft halfgevulde witte bloemen.

Eén maal bloeiende klimrozen of ramblers vormen lange slappe takken en bloeien zeer uitbundig met vaak kleine bloemen. Deze rozen zijn zeer geschikt om een boom in te sturen of om een pergola, prieel of schuur te bedekken onder een massa bloeiende rozen. Bij deze rozen wordt snoeien tot een minimum beperkt.

Een paar bekende ramblers zijn: 'Kiftsgate', een zeer krachtig groeiende roos met trossen witte bloemen; 'Rambling Rector' met roze roomwitte halfgevulde bloemen, geschikt om in bomen te groeien (net als 'Kiftsgate'). 'Seagull' is een bijzonder sterk geurende roos met trossen enkele bloemen, en 'Veilchenblau' heeft van kleur veranderende bloemen, eerst paarsviolet met een wit hart, later donkerviolet en uiteindelijk lila-grijs. 'Albertine' is een bekende grootbloemige rambler met zalmrode knoppen die koperkleurig opengaan. *Rosa banksiae* 'Lutea' heeft kleine, gevulde gele bloemen. De roos is niet geheel winterhard en moet vooral in haar jeugd tegen de vorst worden beschermd.

Dan is er nog een groep klimrozen die eigenlijk nergens als zodanig wordt genoemd. Dit zijn de grotere botanische rozen, die soms alleen-

Rosa canina 'Kiese'
wordt ook wel 'Kiese'
genoemd.
Ze heeft sierwaarde
door haar bloemen en
bottels.

staande struiken vormen met overhangende takken, maar ook in een boom of andere struik kunnen groeien. Sommige botanische rozen zijn echte klimrozen. Het aantrekkelijke van deze rozen is dat zij na de bloei fraaie bottels vormen, die tot laat in de herfst aan de plant blijven. Zo kunnen de bomen in de zomer versierd worden door bloemen en in de herfst door bottels.

Rosa arvensis wordt 2 m hoog en kan in andere struiken klimmen. De bloemen zijn roze en de vrij kleine bottels rood.

Rosa filipes is een echte klimroos die wel 6 m hoog kan worden. De kleine, enkele witte bloemen staan in grote trossen. De rode bottels zijn eirond en 1 cm lang.

Rosa canina, hondsroos, kan 3 tot 4 m hoog worden en met andere klimplanten en struiken een ondoordringbare haag vormen. De bloemen zijn roze en de ovale bottels rood. *Rosa canina* 'Kiese' (*Rosa* 'Kiese') is een canina-hybride met helderrode, halfgevulde bloemen en grote, oranjerode bottels.

Rosa moyesii wordt 3 m hoog, heeft donker wijnrode bloemen en bijzonder opvallende flesvormige vruchten van 5-6 cm lang.

Rosa multiflora wordt 3 m hoog, heeft zalmroze knoppen en witte bloemen. De bottels zijn oranjerood.

Rosa rubiginosa, de egelantier, is te herkennen aan de appeltjesgeur van de bladeren. De bloemen zijn rozerood, de bottels oranjerood.

Rosa multiflora
is een sterke, gezonde
roos met een zee van
bloemetjes.

Pagina hiernaast:
Moderne hekcon-
structies eisen weinig
of geen onderhoud.

Praktische zaken

Een gezonde klimplant heeft de beste kans van slagen. Het is belangrijk ervoor te zorgen dat u klimplanten koopt die er goed uitzien. Bij de meeste tuincentra en bij kwekers zijn klimplanten het hele jaar in een pot te koop. De beste planttijd blijft echter het voorjaar of het najaar.

De wat minder winterharde klimmers en de groenblijvers moeten in het voorjaar worden geplant. Koopt u middenin de zomer een klimplant en plant u haar in de tuin, dan bezorgt u de plant meteen al een terugslag. Het lijkt vaak verleidelijk een mooie bloeiende plant buiten het seizoen te kopen, maar het beste kunt u zich toch, ook al staat de plant in een pot, beperken tot het plantseizoen.

Ampelopsis brevipedunculata 'Maximowiczii'. *De meeste wingerds willen ook wel op wat zwaardere grond groeien.*

Planten   Een goede voorbereiding van de plantplaats van klimmers is een voorwaarde voor goede groei. Vrijwel alle klimplanten kunnen in goede tuingrond groeien. Sommige stellen wat betreft de zuurgraad bepaalde eisen aan de grond. Zo geeft een clematis de voorkeur aan licht kalkrijke grond, terwijl de wingerd best op wat zuurdere grond wil groeien. Waar alle planten, en zeker de klimplanten, een hekel aan hebben, is aan grond die niet goed waterdoorlatend is, zoals zware kleigrond. Klimplanten geven de voorkeur aan een goed vochthoudende en waterdoorlatende grond. Om hieraan te voldoen kunnen we de structuur, zowel van zware kleigrond als van lichte zandgrond, verbeteren door er compost door te mengen. Hierdoor zal de kleigrond beter waterdoorlatend worden en de zandgrond beter water vast kunnen houden.

Het plantgat   Voordat een klimplant geplant wordt, moet er een plantgat worden gemaakt. Dit moet een behoorlijk gat worden, zeker als een plant

tegen een muur wordt gezet, omdat hier de grond vaak verdicht is. Maak het gat 1 m lang, 80 cm breed en 60 cm diep. Wees hier niet te kinderachtig mee, want de klimplant moet een goede start krijgen om de lucht in te kunnen gaan. De bodem en zijkanten van het gat moeten losgemaakt worden en vooral bij een muur is het belangrijk dat de bodem van het plantgat met een laagje puin of grint waterdoorlatend wordt gemaakt. De helft tot een derde van de uitkomende grond wordt vervangen door goede tuinaarde of compost. Gebruik in ieder geval de bovenste laag van de uitgespitte grond (dat is meestal de beste grond) en meng deze met de compost of tuingrond.

Vul het plantgat gedeeltelijk met het verbeterde grondmengsel, zet de klimplant in het plantgat, even diep als zij bij de kweker stond. Hierop vormt de clematis een uitzondering. Deze moet 20 cm dieper geplant worden dan zij stond in verband met de verwelkingsziekte die bij de grootbloemige clematis helaas voorkomt. Het onderste deel van de stengel met de daar aanwezige knoppen verdwijnt nu onder de grond. Mocht het bovengrondse deel van de clematis afsterven, dan kunnen deze knoppen uitlopen. Zorg ervoor dat de potkluit of de wortels van de plant nat zijn. Zet haar indien nodig eerst even een half uur in een emmer water. De plant moet uiteraard uit de pot worden gehaald, tenzij dit een oplospot is. Klimrozen worden wel in een oplospot verkocht, waarvan alleen de bodem afgescheurd hoeft te worden. De pot zal vanzelf oplossen. Zit de kluit van een klimplant in

Clematis
'Sealand Gem'.

83

Een klimplant tegen een muur vraagt extra verzorging aan de voet.

jute, dan moet de jute wel worden verwijderd. Het beste kunt u de plant eerst in het plantgat zetten, daarna de jute losknopen en er onderuit trekken. Zo blijft de kluit intact. Vul hierna het plantgat op met de verbeterde grond, nadat u eerst water bij de kluit hebt gedaan en dit in de grond getrokken is. Geef nogmaals water in een geul rond de plant en vul de grond weer aan. Druk de grond goed aan.

Als een klimplant eenmaal is aangeslagen, zal zij snel de weg naar boven vinden, zoals deze hop.

Planten tegen een muur

Het planten van klimplanten tegen een muur vereist extra zorg. Vaak ligt er nog puin van de bouw dicht bij de muur. Dit moet in ieder geval worden verwijderd, omdat anders de grond te kalkrijk is en de wortels niet diep genoeg in de aarde kunnen groeien. Een klimplant mag nooit pal tegen een muur worden geplant. Een muur heeft altijd een zuigende werking en de grond er tegenaan zal veel eerder droog zijn. De wortels van de planten kunnen daar niet tegen en de plant gaat eerder dood. Zet de plant minstens 50 cm van de muur en leid de ranken met een stevige stok naar de muur. Een koker van gaas, door een stok in de grond bij de klimplant bevestigd en naar de muur gericht, kan ervoor zorgen dat de hindernis van 50 cm in alle veiligheid genomen kan worden.

Een uitstekende manier om ervoor te zorgen dat een klimplant bij een muur niet uitdroogt, is in de buurt van de wortels een stuk geperforeerde ribbeldrain in te graven en deze te vullen met grint. Hierdoor kan dan water en mest worden gegeven. Dit is een betere manier van water geven dan direct op de grond rond de plant, omdat daar door dat water de grond vaak verdicht en de beluchting van de wortels gevaar loopt.

Planten tegen een boom

Het planten van een klimplant tegen een boom kan op twee verschillende manieren. De eerste manier is de klimplant pal tegen de boom tussen de hoofdwortels te planten. Zijn voedsel en water haalt de boom verder weg uit de grond. Het wortelstelsel heeft meestal dezelfde omtrek als de kroon van de boom. Een klimplant die stijf tegen de boom aan staat, hoeft hier dus geen concurrentie te verwachten. Er moet natuurlijk wel genoeg ruimte zijn. De tweede manier is de klimplant buiten bereik van de wortels te planten en dan met een touw of stok naar de boom te leiden. Het beste kan ze aan de schaduwzijde van een boom worden geplant. Dan is meteen aan de eis van een koele voet, zoals de meeste klimplanten wensen, voldaan.

Een goede plantmethode voor een klimplant tegen een boom vormt een houten kist. Er moet natuurlijk wel genoeg ruimte voor zijn. Graaf een plantgat van minstens 1 m in het vierkant en zet hierin een kist zonder bodem. Vul de kist met goede tuinaarde of compost en zet de klimplant hierin. Zo kan de plant zelf eerst even flink groeien voor de wortels van de boom zich ermee bemoeien. De kist zal in de grond uiteindelijk vergaan.

Deze hop klimt niet in de boom, maar is zelf een boom.

Water en mest   Water geven is zeker in het begin noodzakelijk. Wordt een klimplant in het voorjaar geplant en laat de regen het afweten, dan is het noodzakelijk dat de klimplant geregeld water krijgt. De methode met een ingegraven stuk ribbeldrain maakt het water en mest geven gemakkelijker, terwijl tegelijkertijd de verdichting van de grond wordt voorkomen.

De grond rond de klimmer kan bedekt worden met schorssnippers. Hierdoor zal de grond minder uitdrogen. Als het plantgat met goede grond en compost is gevuld, hoeft in het begin geen mest te worden gegeven. Is de plant eenmaal aangeslagen, dan moet elk jaar in het vroege voorjaar organische mest, in de vorm van goed verteerde stalmest of compost, worden gegeven. Later dan juni mag niet worden gemest, omdat de (houtige) plant dan te lang door zal groeien en geen tijd heeft om voor de winter haar scheuten af te laten rijpen waardoor de vorst schade kan veroorzaken.

Eenjarige klimplanten hebben over het algemeen meer mest en water nodig dan overblijvende klimplanten, omdat zij maar een jaar de tijd hebben en vaak snel groeien en rijk bloeien. Vooral voor lathyrus geldt dit.

Bescherming in de winter   Sommige niet geheel winterharde klimplanten hebben in de winter bescherming nodig, zelfs klimplanten uit koudere streken. In deze streken valt meestal eerst sneeuw en dan gaat het vriezen. Bij ons gaat het meestal eerst vriezen en daarna of helemaal niet gaat het sneeuwen. Rond de plant kan een bak van kippegaas worden gemaakt. Deze wordt opgevuld met hooi, stro, blad of takken. Een rietmat kan ook nuttig werk doen door hem stijf tegen de klimplant en de erachter gelegen muur of schutting te laten leunen. De rietmat moet dan wel vastgezet worden en als er ruimte voor is, volgestort worden met blad, zodat de bescherming optimaal is. Dennetakken kunnen ook een uitstekende bescherming geven.

De wortels kunnen beschermd worden door een mulchlaag van schorssnippers, turfmolm of oude stalmest.

Vorstgevoelige planten kunnen in een bak worden gekweekt en met bak en al binnen vorstvrij overwinteren.

Leiden en snoeien   Een klimplant mag nooit vlak na het planten worden aangebonden. Doordat de grond nog nazakt, zou de plant zichzelf ophangen. Niet alle klimplanten hoeven aangebonden te worden. De zelfhechters zoals wingerd en klimop moeten in het begin misschien iets worden geholpen, maar als ze tegen de juiste achtergrond worden geleid, nemen ze het al gauw zelf over. Een zelfhechter die wel een beetje geholpen moet worden, is de klimhortensia, *Hydrangea petiolaris*. Door om de meter een horizontale draad op de muur te spannen, wordt voorkomen dat de plant bij een storm in haar geheel van de muur afkomt.

Pagina hiernaast: Veel klimplanten hebben weinig verzorging nodig, maar afhankelijk van de wensen kan er gesnoeid worden.

Sommige klimrozen, zoals de ramblers, hoeven niet gesnoeid te worden.

Slingerplanten die zich om steunmateriaal winden en planten die klimmen met hechtranken, moet u in het begin even iets helpen door ze aan te binden, maar later zullen ze het zelf doen. Planten die klimmen door stekels, zoals klimrozen, moeten aangebonden worden als ze tegen een muur, schutting of hekwerk worden geleid. Zij kunnen zich met hun stekels dan nergens aan vasthaken. Die stekels zijn eigenlijk bedoeld om zich in andere planten omhoog te werken. Groeit een klimroos tegen een boom, dan zal bevestigen rond de stam noodzakelijk zijn, maar heeft zij eenmaal de kroon bereikt, dan is dit niet meer nodig.

Clematis viticella 'Rubra'.

De snoei van clematis

Het snoeien van clematis is wat ingewikkeld. De meeste pas geplante clematissen moeten het eerste jaar worden ingekort, zodat ze zich beter vertakken. Hierna ontwikkelen zich een paar ranken die zo snel mogelijk omhoog klimmen. Als er nu niet gesnoeid wordt, ontstaat er bovenaan een dikke bult takken met een kale stengel eronder – een lelijk gezicht. Om dit te voorkomen moet door herhaaldelijk snoeien de vorming van zijtakken bevorderd worden en moeten de takken in de breedte langs het steunmateriaal worden geleid. Aan de buitenkant van de plant kunnen de scheuten die zich daar ontwikkeld hebben, afgelegd worden, zodat ze wortelen en de plant breder maken.

Als een clematis tegen een boom wordt geplant, valt er weinig te snoeien en kunnen we haar haar gang laten gaan. Ook de kleinbloe-

TIP

Let er bij het aanbinden op dat de stengels niet door het aanbindmateriaal afgekneld worden. Bind ze daarom met bindmateriaal in een 8-vorm ruim aan en controleer ze regelmatig.

mige clematissen worden meestal niet gesnoeid, behalve als de plant topzwaar of te groot wordt. Eventueel kan verjongingssnoei worden toegepast door een keer tot op het oude hout fors terug te snoeien.

Doorbloeiende klimrozen worden plat tegen de muur geleid.

Bij grootbloemige clematissen hangt de snoeitijd samen met de bloeitijd. Valt de hoofdbloei in mei-juni met eventueel nog een tweede bloei in september, dan moet direct na de hoofdbloei dood en zwak hout weggesnoeid worden. Pas als de plant ouder is en de groei en bloei afnemen, kunnen de ranken sterk terug worden gesnoeid. Dit mag alleen na de hoofdbloei gebeuren. Gebeurt dit later, dan zal de bloei het volgende jaar slecht zijn.

Valt de hoofdbloei in juli, dan kunnen de planten aan het eind van de winter worden gesnoeid. De dode en zwakke ranken worden verwijderd en de overblijvende ranken worden tot 15 à 20 cm boven een stel goed ontwikkelde knoppen teruggesnoeid.

Bij de derde groep, waarvan de hoofdbloei in de zomer en herfst valt, worden aan het eind van de winter alle twijgen tot op het hout van het vorige jaar, tot vlak bij de basis teruggesnoeid. Er kan tot het oude hout worden teruggesnoeid. Deze snoei is noodzakelijk omdat er anders een kale stengel met een dikke dot er bovenop ontstaat.

De snoei van klimrozen

Ook de snoei van klimrozen is een apart verhaal. Klimrozen moeten, omdat ze vroeg uitlopen, zeer tijdig, in de winter, worden gesnoeid.

Klimrozen bloeien het uitbundigst aan takken die het vorige jaar gevormd zijn, maar ook op zijscheuten van oudere takken. Elk jaar moet een aantal oude en zwakke gesteltakken zo diep mogelijk weggesnoeid worden, zodat de jongere takken de kans krijgen het over te nemen. De kleinere zijtakken worden tot 8-10 cm teruggesnoeid. Een pas geplante klimroos moet tot 30-40 cm terug worden gesnoeid. Deze snoeiregels gelden voor doorbloeiende klimrozen. De één maal bloeiende klimrozen of ramblers hoeven, indien ze in een boom groeien, helemaal niet gesnoeid te worden. Deze ramblers worden pas mooi als hun lange takken van de boom af gaan hangen en een bloeiende kroon vormen. Wil men de groei van deze wildere rozen wat binnen de perken houden, dan kunnen de takken na de bloei tot op de nieuw gevormde scheuten teruggesnoeid worden.

Botanische rozen hoeven helemaal niet te worden gesnoeid. Het enige wat in de winter moet gebeuren, is het verwijderen van het dode hout.

Met gaas, geduld en snoeiwerk zijn zeer fraaie vormen van klimop te maken.

De snoei van andere klimplanten

Als klimplanten tegen een muur of schutting groeien, blijft het snoeien meestal beperkt tot het wegnemen van dode en oude of ongewenste takken. Planten die bloeien op de uitlopers van hetzelfde jaar, meestal middenin de zomer, moeten aan het eind van de winter of vroeg in het voorjaar gesnoeid worden, zodat de nieuwe uitlopers tijd hebben om bloemscheuten te maken. Planten die vroeg bloeien,

TIP

De nieuwe scheuten van klimrozen moeten zo horizontaal mogelijk aangebonden worden. Zij geven dan over de hele lengte bloeibare zijtakken, terwijl verticale scheuten dat veel minder doen.

bloeien aan uitlopers van het vorige jaar. Zij moeten direct na de bloei gesnoeid worden. Verder is de snoei afhankelijk van de plaats waar de plant groeit. Als klimop wordt gebruikt om een levende afscheiding te vormen, dan zal zij net als een heg tweemaal per jaar bijgesnoeid moeten worden. Anders gaat de afscheiding zeer veel ruimte innemen. Zo'n breedtesnoei is bij wingerd niet nodig, maar deze plant moet wel in toom gehouden worden, zodat zij geen raamlijsten en dakpannen overgroeit. Bij de meeste klimplanten komt het erop neer dat de plant er goed uit moet zien. Snoei een klimplant nooit zomaar lukraak fors terug. Het zou wel eens kunnen dat zij daarna niet meer terug komt.

Clematis montana
is een krachtige,
maar te beheersen
groeier.

Vermeerdering   Een- en tweejarige klimplanten worden door zaad vermeerderd. Zaaien is vaak de enige manier om aan deze planten te komen. Overblijvende klimplanten worden meestal niet door zaad vermeerderd, maar door stekken, afleggen of delen en een enkeling, zoals blauweregen, *Wisteria*, en veel clematissen, door veredelen.

Zaaien   Zaden van eenjarige klimplanten worden bij het zaadsortiment van andere eenjarigen aangeboden bij tuincentra en postorderbedrijven van planten. Het is zaak zo vroeg mogelijk, bijvoorbeeld al in januari-februari, voor te zaaien. Dit gebeurt binnen. Bepaalde zaden, zoals lathyrus, dagbloem (*Ipomoea*) en Oostindische kers (*Tropaeolum*), kiemen beter als ze eerst een nacht in water worden voorgeweekt. De zaaibakjes worden met zaaigrond gevuld en vochtig gemaakt met de bloemenspuit. Het zaad wordt dun in de bakken gestrooid en afgedekt met een dun laagje grof zand. De zaaibak zet u op een warme plaats. Zaden kiemen graag in het donker en daarom kan de bak met een krant afgedekt worden. Zodra het zaad opkomt, moet u deze echter verwijderen. Er kan heel goed gezaaid worden in speciale zaaibakjes. Sommige zijn zelfs verwarmd, zodat de kiemtemperatuur optimaal is. Geef de bakjes regelmatig water, maar niet te veel omdat er anders schimmelvorming kan optreden. Snelle kiemers en groeiers, zoals pompoen, kalebas en Oostindische kers, kunnen later worden gezaaid. Als ze te lang binnen moeten staan, rekken ze erg. Pas half mei kunnen de plantjes namelijk naar buiten, omdat er dan geen kans meer is op nachtvorst.

De zaden zijn na enige weken uitgegroeid tot kleine plantjes, die in het zaaibakje een tekort aan ruimte krijgen. Ze moeten nu verspeend worden. Ze worden dan verder uit elkaar in een pot gezet of per plant apart in een potje. Ze moeten goed water krijgen en op een lichte plaats staan, maar niet in de volle zon. Klimplanten die al verspeend zijn, zetten het snel op een groeien en hebben al vroeg steun in de vorm van een stokje nodig.

Vanaf april is het mogelijk de planten buiten in de volle grond te zaaien. Geef de zaaiplaats duidelijk aan met een paar stokjes en zorg ervoor dat de grond van tevoren goed is losgemaakt. Laat de klim-

Grote pompoenen kunnen klimmen, maar hun vruchten moeten dan wel steun krijgen.

plantjes niet te groot worden voor u ze op hun definitieve plaats zet, anders komen hun ranken in de knoop en is het moeilijk ze zonder te beschadigen te verplanten naar hun definitieve plaats. Natuurlijk kan ook meteen op de plaats worden gezaaid waar ze uiteindelijk terechtkomen. Dit kan heel goed bij Oostindische kers, *Tropaeolum majus*, en kanariekers, *Tropaeolum peregrinum*. Zaai niet te dicht en dun de plantjes later uit, zodat ze voldoende groeiruimte krijgen.

Oostindische kers op een muur in de avondzon.

Afleggen   Afleggen is een gemakkelijke manier om bepaalde klimplanten voort te kweken. Dit kan bij planten die goed wortels maken aan takken die op de grond liggen. Zo'n aflegger kan toevallig ontstaan doordat een tak op de grond hangt, maar we kunnen het ook zelf stimuleren door een stevige scheut, niet te zacht en niet te houtig, op de grond vast te zetten. Aan de onderkant van de scheut, op de plaats waar hij in de grond komt, kan een schuine snede worden gemaakt, die even in de stekpoeder wordt gedoopt. Dit moet ongeveer 30 cm van de top gebeuren. De scheut blijft aan de moederplant vastzitten tot hij wortels heeft gemaakt. Daarna wordt hij van de plant afgesneden en in een pot gezet.

Stekken   Een snellere methode dan afleggen is stekken. Heel veel klimplanten kunnen gestekt worden. Dit kan op verschillende manieren. Er zijn planten die zich zo gemakkelijk laten stekken dat ze alleen maar in

TIP

Tot de IJsheiligen, ongeveer half mei, kan er nog nachtvorst optreden en moeten de jonge planten beschermd worden. Zet zeer kwetsbare eenjarigen niet eerder dan half mei buiten.

een potje met water gezet hoeven te worden, klimop bijvoorbeeld. Zelfs al wordt een klimopstek direct in vochtige grond gestoken, dan zal hij het vaak al doen.

Clematis tangutica 'Helios'.

Om stekken gemakkelijker te laten wortelen, wordt vaak stekpoeder gebruikt. De stekken worden hier even ingedoopt en dan in een pot met grond gezet. Afhankelijk van de plant kunnen er winter- of zomerstekken worden genomen. Zomerstekken worden toegepast bij clematis en kamperfoelie van zacht hout.

Winterstekken worden genomen van houtige delen van de plant. De stekken worden direct na het snijden in potjes met aarde gezet en worden op een warme plaats aan de groei gebracht.

Ziekten en plagen Klimplanten hebben over het algemeen weinig last van ziekten en plagen, vooral als ze het naar hun zin hebben en er aan hun specifieke eisen voldaan is. Wordt een klimplant die een beschutte, zonnige plaats nodig heeft op een winderige, schaduwplek gezet, dan is dit vragen om moeilijkheden.

Sommige problemen komen heel specifiek bij een bepaald plantengeslacht voor, andere treden meer op als gevolg van de omstandigheden, ongeacht om welke plant het gaat.

Zo kan grootbloemige clematis ineens ten prooi vallen aan de clematis-verwelkingsziekte. Hier is weinig kruid tegen gewassen. Om de ziekte te voorkomen, kan beter een keuze worden gedaan uit de

kleinbloemige clematissen die niet of nauwelijks last van deze ziekte hebben. De grootbloemige clematissen moeten 20 cm dieper geplant worden, zodat de ogen die onder de grond zitten uit kunnen lopen als de plant zou afsterven door de verwelkingsziekte. Een clematis die verschijnselen van deze ziekte vertoont, verwelkt van de ene op de andere dag en gaat dood.

Bladluizen, die nog wel eens bij kamperfoelie kunnen voorkomen, kunnen bestreden worden met milieuvriendelijke middelen. Het is niet verantwoord om in de particuliere tuin met chemische bestrijdingsmiddelen te gaan werken. Die staan helaas nog steeds voor het grijpen bij de tuincentra.

Steeds meer zien we echter de zogenaamde biologische bestrijdingsmiddelen verschijnen, die vaak gemaakt zijn op basis van organische vetzuren. Bladluizen kunnen ook niet tegen een flinke straal koud water. Bladluizen bij planten in de serre kunnen bestreden worden door hun natuurlijke vijanden, de galmuggen, in de kas te plaatsen. Zij zijn te bestellen in tuincentra (Aphidend).

Volwassen planten hebben weinig last van slakken, maar pas gezaaide klimplanten juist veel.

Huisjesslakken kunnen met de hand worden gevangen en naaktslakken kunnen gevangen worden in ingegraven potjes bier en onder een hoopje tuinafval.

Goed verzorgde klimplanten hebben gezond blad, dat er 'welgedaan' uitziet.

Oorwormen houden van jonge blaadjes, vooral van clematis. Ze vreten 's nachts aan de bladeren en slapen overdag uit. Als we bij de planten in de buurt omgekeerde potten met hooi of stro op een stok zetten, gebruiken ze deze overdag als schuilplaats. Ze kunnen hier dan uitgehaald en afgevoerd worden.

Bij rozen zien we soms blaadjes die aan de randen naar binnen krullen, in de vorm van kokertjes. De vrouwtjes van de rozebladwesp leggen hun eitjes in de bladeren en scheiden stoffen uit waardoor de bladeren oprollen.
De larven die uit de eitjes komen, vinden hun tafel gedekt en eten de opgerolde blaadjes. Het is afdoende de opgerolde blaadjes te verwijderen en vernietigen.

Als we bladeren van klimplanten zien waar uit de rand keurige rondjes zijn geknipt dan is dit het werk van de behangersbij. Deze bij gebruikt de stukjes blad om er zijn nest mee te bouwen. Behangersbijen zijn erg nuttig, want zij zorgen voor de bestuiving. Ze mogen dus niet bestreden worden.

In de serre kan witte vlieg soms erg lastig zijn. Biologische bestrijding van deze witte vlieg is goed mogelijk door sluipwespen. Was deze vorm van bestrijding eerst alleen maar mogelijk voor commerciële

Vraatschade van de behangersbij komt niet zo vaak voor, maar geeft wel een grappig effect.

kwekers, tegenwoordig is het ook voor particulieren mogelijk. De poppen van de sluipwespen zitten op een kartonnen kaartje dat in de plant wordt gehangen. De poppen komen uit en de sluipwespen leggen hun eitjes in de larven van de witte vlieg. Ook kan een middel op basis van organische vetzuren worden gebruikt.

Spint kan in een serre ook erg vervelend zijn. De bladeren van de klimplanten worden dof en geel en krijgen kleine vlekjes. Uiteindelijk vallen ze af. De plant is bedekt met een fijn spinsel. Met behulp van roofmijt kan spint biologisch worden bestreden. Ook een milieuvriendelijk middel op basis van organische vetzuren is mogelijk.

Bij niet-hechtende klimplanten die tegen een muur groeien waar te weinig lucht tussen de plant en de muur kan circuleren, kunnen soms schimmelziekten optreden. Het is dan beter de oorzaak weg te nemen dan de ziekte te gaan bestrijden. Door regelmatig oud, dood blad te verwijderen en de plant wat meer lucht te geven, verdwijnt de schimmel.

Als klimplanten goed gekozen zijn, hebben zij weinig last van ziekten en plagen. Als zij toch ergens last van hebben, is milieuvriendelijke, biologische of mechanische (wegvangen) bestrijding afdoende.

Bouwstaalnetten zijn als klimsteun zeer geschikt. Ze kunnen op de gewenste afstand aan de muur bevestigd worden.

Klimplanten van A tot Z

In dit hoofdstuk vindt u de belangrijkste klimplanten in alfabetische volgorde. Met behulp van de informatie die van elke plant gegeven wordt, kunt u een bewuste keuze voor de situatie bij of in uw tuin maken.

Actinidia

Actinidia arguta heeft haar decoratieve waarde aan het blad te danken, dat in de herfst prachtig verkleurt. De plant komt van oorsprong uit Japan en Korea. Ze is geschikt voor muren, schuttingen en pergola's. De plant heeft witte bloemen die alleen in een warm klimaat verschijnen. Het lichtgroene blad wordt geel in de herfst. Het is een sterke groeier die in twintig jaar een oppervlak van 10 x 10 m kan bedekken. De vruchten zijn eetbaar, maar niet zo lekker als die van haar familielid de kiwi. De plant groeit tot 60 cm van het steunmateriaal. Cultivars: 'Ananaskaja', 'Bayern' en 'Issai'. *Actinidia chinensis* (kiwi) is een zeer wilde groeier die na 20 jaar een oppervlak van 12 x 12 m kan bedekken. De bloemen zijn crèmewit en de vruchten de bekende kiwi's. Om

vruchten aan deze plant te krijgen, zijn er meestal een manlijke en een vrouwelijke plant nodig. Zo is 'Atlas' een manlijke cultivar en 'Bruno', 'Buitenpost', 'Exbury', 'Hayward' en 'Monty' zijn vrouwelijke cultivars. *Actinidia chinensis* 'Jenny' heeft manlijke en vrouwelijke bloemen. De kiwi heeft vruchtbare, vochtige grond nodig en volle zon tot lichte schaduw. Kiwi's eisen voldoende ruimte.
Actinidia kolomikta is een bontbladige klimplant. De bladeren zijn ovaal en hebben een witgekleurde top die later roze wordt. Ze moet op een beschutte plaats geplant worden, het liefst in de volle zon. De bladkleuren worden dan het mooist. Het is geen harde groeier. Na vijf jaar is zij 1,5 x 1,5 m, na tien jaar 4 x 4 m en uiteindelijk 6 x 6 m. De plant schijnt onweerstaanbaar te

Bonte, grootbladige klimop kan heel goed aan de voet van een struik gebruikt worden om een kale voet te maskeren.

zijn voor katten, die vooral jonge planten onherstelbaar kunnen beschadigen.

Adlumia

Adlumia fungosa is een tweejarige klimplant met 2 tot 3 m lange ranken. Het blad is zeer fijn gedeeld en varenachtig, de bloemen zijn roze tot lichtpaars. Ze is geschikt voor een muur op het zuiden. Deze bescheiden klimplant kan ook over een heester groeien en gecombineerd worden met andere klimplanten. Ze is alleen als zaad te krijgen, dat aan het eind van de zomer ter plaatse in de volle grond of in potten gezaaid wordt. De grond moet goed waterdoorlatend zijn.

Ampelopsis aconitifolia.

Akebia quinata.

Akebia

Akebia quinata Deze bijzondere, half wintergroene klimplant kan door struiken en kleine bomen groeien of tegen een muur of schutting. De bladeren zijn handvormig samengesteld. De afhangende, geurende, chocoladekleurige tot purperen bloemen zijn niet opvallend, maar wel bijzonder. De purperkleurige vruchten zijn groot, enigszins augurkachtig en 10 cm lang. Als de vruchten openspringen, worden zwarte zaden zichtbaar. De onderkant van de plant wordt op den duur kaal. Ze wenst lichte schaduw tot volle zon, maar geen felle middagzon. De plant is een wat slordige groeier die na tien jaar ongeveer 5 m hoog is. Let er bij het planten op dat de wortels niet beschadigd worden.
Akebia trifoliata Bladeren van deze soort zijn drietallig in plaats van vijf-

tallig zoals bij *A. quinata*. De plant is bladverliezend, de bloemen zijn iets kleiner, maar verder is er weinig verschil.

Allamanda

Allamanda cathartica Deze serreplant groeit in het wild in Brazilië. Ze wordt wel verkocht als kamerplant, maar voelt zich in de kamer niet erg thuis, omdat zij een vrij hoge luchtvochtigheid nodig heeft. De plant kan in een pot worden gekweekt, en blijft dan lager dan in de volle grond. De opvallende, trompetvormige, gele bloemen hebben een doorsnede van 10 cm. Kort na de bloei de scheuten van het vorige jaar in tot twee bladknoppen. De allamanda kan 's zomers buiten staan, maar houdt niet van temperaturen lager dan 10 °C. *A. cathartica* 'Hendersonii' groeit krachtiger en

heeft grotere bloemen die donkerder geel van kleur zijn. De planten moeten 's zomers veel en 's winters matig water hebben.

Ampelopsis

Ampelopsis aconitifolia is een bladverliezende houtige klimmer met sierlijk, fijn ingesneden blad. De bloemen zijn onopvallend, de vruchtjes blauw. Ze kan goed over pergola's en bomen groeien, maar heeft tegen een muur steun nodig. Ze hoeft alleen gesnoeid te worden als de groei te overdadig is. Het blad lijkt op dat van een monnikskap (*Aconitum*), vandaar de soortnaam.

Ampelopsis brevipedunculata heeft gelobd, ovaal en ruw blad dat in de herfst prachtig geeloranje verkleurt. Ze groeit uitstekend over een pergola en geeft daarbij schaduw.

99

Aristolochia, *Duitse pijp.*

Ampelopsis brevipedunculata *'Elegans'.*

Na een warme zomer zijn de paarse vruchtjes een opvallende toegift. Ze groeit op clke grondsoort, maar heeft een duidelijke hekel aan natte voeten.

Ampelopsis brevipedunculata 'Elegans' is een geheel andere plant dan de soort. Ze wordt bij de bloemist als kamerplant verkocht en kan niet tegen strenge vorst. Het blad is wit tot roze en groen gevlekt. Ze groeit bij voorkeur op een beschutte plaats in de lichte schaduw. In de volle zon kunnen de bladeren verbranden. Deze plant groeit langzaam, wordt minder hoog dan de soort en is zeer geschikt voor de serre.

Ampelopsis megalophylla heeft bijzonder groot blad van wel 50 cm lang. Ze groeit snel en uitbundig en wordt tot 9 m lang.

Anrederia

Anrederia cordifolia (syn. *Boussingaultia baselloides*) heeft knolachtige wortels. We moeten haar dan ook niet bij een kwekerij zoeken, maar bij een bollenbedrijf. Het is een groenblijvende slingerplant met hartvormig vlezig blad en geurende witte bloempluimen, die in de herfst bloeien.
De plant wordt in één seizoen 5 m hoog en wil graag een zonnige en droge standplaats. Ze is niet winterhard en de knollen moeten tegen de vorst beschermd worden.
Ze kan vermeerderd worden door knolletjes die zich vormen in de niet-bloeiende bladoksels.

Anredera davidii lijkt op *A. cordifolia,* maar is groter.

Apios

Apios americana heeft eetbare, knolachtige wortels en is in tegenstelling tot de *Anrederia* wel winterhard. De plant kan in de lichte schaduw over heesters en pergola's groeien. De in de herfst verschijnende bloemen zijn lilabruin van kleur en geuren heerlijk. Voor de Noordamerikaanse Indianen was deze plant een belangrijk voedingsgewas.

Aristolochia

Aristolochia littoralis kan absoluut geen vorst verdragen. Ze wordt in de volle grond van de serre 6 m hoog en blijft in een pot kleiner. De plant heeft windende stengels met kleine hartvormige bladeren. De bloemen zijn bijzonder mooi, 'pijpvormig' met een kleine gebogen lichtgroene buis en een paarsbruine, wijd uitstaande bovenkant.

Ze is verkrijgbaar als zaad.
Aristolochia macrophylla, Duitse
pijp. Deze winterharde bladplant
heeft grote, hartvormige bladeren
die met elkaar een gesloten bladerdek vormen. De plant bloeit (op
latere leeftijd) onder het bladerdek
met pijpvormige bloemen die van
buiten groengeel zijn en van binnen
paars. Ze heeft zeer lichte schaduw
en goede, vochthoudende grond
nodig, omdat het grote blad veel
water gebruikt. Ze heeft een paar
jaar na het planten nodig om aan de
groei te gaan en vormt in deze tijd
kleiner blad. Ze wordt uiteindelijk
6 m hoog.

Asarina

Asarina barclaiana is een overblijvende klimplant met decoratief
klimopachtig blad. Ze wordt ongeveer 2 m hoog en wordt als eenjarige

gekweekt. Ze kan in korte tijd een
zonnige muur of balkon bedekken
en bloeit op een beschutte warme
plaats van juli tot oktober met
blauwpaarse bloemen van 3-5 cm.
Ze is geschikt voor de serre en
alleen als zaad verkrijgbaar.
Asarina erubescens heeft zacht,
behaard blad en aan het eind van de
zomer 5 cm grote, roze bloemen.
Ook zij vraagt een zeer warme,
beschutte plaats en is geschikt voor
de serre.

Berberidopsis

Berberidopsis corallina is eigenlijk
een muurstruik, maar als klimmer
geleid komen de koraalrode knoppen en bloemen het mooist uit.
De plant is vorstgevoelig en moet
op een zeer beschutte plaats geplant
worden en heeft winterdekking
nodig. Ze kan beter in de serre

Voor de bloem hoeft u Aristolochia
macrophylla *niet aan te schaffen, want
die is klein en onbeduidend.*

gekweekt worden. Tussen de groenblijvende bladeren komen de rode
kersvormige knoppen mooi uit.

Bignonia

Bignonia capreolata is een fantastisch mooi bloeiende klimplant, die
geen graadje vorst kan verdragen.
Ze kan alleen in de serre worden
gekweekt. De bloemen zijn trompet-
vormig, geelrood van kleur en staan
in trossen. Het blad is samengesteld.
Deze plant lijkt op *Campsis*, die
vroeger ook *Bignonia* werd genoemd.

Billardiera

Billardiera longiflora is niet winterhard, dus geschikt voor de serre.
Ze is groenblijvend met lange groen-

Calystegia sepium.
Boven: Bryonia cretica *subsp.* dioica.
Rechts: Bougainvillea.

gele bloemen die paars verkleuren. Ze heeft ovale blauwe vruchten en hangende, lancetvormige blaadjes.

Bougainvillea

Bougainvillea spectabilis, Bougainvillea glabra Deze niet-winterharde kuipplant is geschikt voor de serre of 's zomers buiten. Ze ontleent sierwaarde aan gekleurde schutbladen, die om de crèmekleurige, onopvallende bloemetjes zitten. Ze klimt met stekels, maar moet wel opgebonden worden. *B. spectabilis* is roodpurper en *B. glabra* lichtpaars. Van beide soorten zijn bijzonder mooie cultivars verkrijgbaar in kleuren die variëren van rood tot paars, roze, oranje, crème.

Bryonia

Bryonia alba De witte heggerank is een eenhuizige plant met diep hart-

vormige, vijflobbige bladeren en geelachtig witte bloemen. Deze klimplant wordt 2-3 m hoog.

Bryonia cretica subsp. *dioica* (syn. *B. dioica*) De heggerank komt in Nederland nog in het wild voor langs dijken en spoorwegen en in de duinen. De kleine vrouwelijke bloemen van deze tweehuizige plant zijn groenachtig wit en de giftige bessen zijn felrood. Deze plant hecht zich vast met kurkertrekkervormige ranken, vooral in heggen. Het is een drachtplant voor bijen en hommels.

Calonyction

Calonyction album Deze windeachtige eenjarige plant eist een zeer beschutte, warme plaats. Bijzonder is dat deze plant 's nachts met grote, geurende witte bloemen bloeit. Ze kan in warme zomers 6 m lang worden.

Calystegia

Calystegia sepium Niemand zal het in zijn hoofd halen om haagwinde aan te planten. Deze windende klimplant met de hartvomige bladeren en grote, witte klokvormige bloemen wordt meestal als hardnekkig onkruid beschouwd. Het is dan ook door de wortelstokken een moeilijk uit te roeien plant. In een wat wildere omgeving met klimmers in de buurt die zelf ook van wanten weten, kan ze wel gebruikt worden. De plant kan van een lelijk hek een groene haag met vrolijke witte bloemen maken. Bovendien leven de rupsen van de windepijlstaart van de haagwinde.

Campsis

Campsis grandiflora De trompetbloem doet haar naam eer aan. *C. grandiflora* heeft de grootste

Cardiospermum halicacabum,
ballonplant.

Campsis radicans, trompetbloem.

bloemen van de campsissoorten, oranjerood van kleur. De zeer krachtig groeiende plant moet in het begin geleid en aangebonden worden tot de hechtwortels het overnemen. Deze hechten zich echter niet zo sterk als die van klimop. Op een zonnige plaats en in een warme zomer zal deze houtige klimmer uitbundig bloeien. Ze is tamelijk vorstgevoelig.

Campsis radicans is minder vorstgevoelig, maar heeft ook veel zon nodig. Eind zomer bloeit de plant met trossen van 4-12 trompetvormige, oranje bloemen. Van *C. radicans* zijn diverse anders gekleurde cultivars verkrijgbaar; 'Flamenco' is rood, 'Flava' (syn. 'Yellow Trumpet') geel en 'Florida' rood. De trompetbloemen kunnen uiteindelijk wel 10 m hoog worden. *Campsis* x *tagliabuana* 'Madame

Galen' is een kruising tussen bovengenoemde soorten. Deze zalmrode en rijkbloeiende trompetbloem moet vooral in de jeugd in de winter beschermd worden.

Cardiospermum

Cardiospermum halicacabum (syn. *Ipomoea bona nox*, *Ipomoea noctiflora*) De ballonplant heeft haar naam te danken aan de ballonvormige vruchtjes. Deze niet-winterharde vaste plant wordt als eenjarige gekweekt en is alleen als zaad verkrijgbaar. Ze wordt 2-3 m hoog en kan tegen een hek of latwerk groeien.

Celastrus

Celastrus orbiculatus De boomwurger is een snelgroeiende, houtige klimplant, die de sierwaarde aan de vruchten en zaden te danken heeft.

De onopvallende bloemen zijn groen. De rijpe zaaddozen zijn felgeel en laten als ze rijp zijn oranjerood gekleurde zaden zien. De meeste zijn tweeslachtig en er moeten dus een manlijke en een vrouwelijke plant bij elkaar staan om vruchten te krijgen. *C. orbiculatus* 'Diana' is vrouwelijk en *C. orbiculatus* 'Hercules' is manlijk. Van *C. orbiculatus* 'Hermaphroditis' hoeft maar één plant aangeplant te worden omdat deze bloemetjes van beide geslachten heeft. De plant moet voldoende ruimte krijgen om tot haar recht te komen en voldoende vruchten te produceren. *Celastrus scandens* heeft oranjegele vruchten met karmijnrode zaden en groeit iets minder uitbundig dan de voorgaande soort. Van deze soort moeten om vruchten te krijgen altijd een manlijk en een vrouwelijk exemplaar geplant worden.

103

Celastrus orbiculatus *'Hercules'*,
de manlijke boomwurger.

Clematis integrifolia.

Clematis

Eerst wordt een keuze gemaakt uit de clematissoorten en hun belangrijkste hybriden, voor het gemak aangemerkt als kleinbloemigen. Daarna volgt een selectie uit de meer dan 500 grootbloemige hybriden.

In tegenstelling tot de grootbloemige hybriden worden de meeste kleinbloemigen niet regelmatig gesnoeid. Dit gebeurt alleen als ze te groot worden voor de toegemeten ruimte. Het tijdstip van snoei wordt bepaald door de bloeitijd. Alle vroegbloeiende soorten worden meteen na de bloei gesnoeid. Alle soorten die in de zomer en herfst bloeien, worden in de winter gesnoeid.

Kleinbloemige clematis

Clematis alpina bloeit in mei-juni zeer rijk met hangende blauwe bloe-men, is geschikt als bodembedekker of over heesters, maar niet voor een muur of pergola. Bekende cultivars zijn: 'Burford White', wit; 'Columbine', lavendelblauw; 'Frances Rivis', diepblauw; 'Pamela Jackman', azuurblauw; 'Ruby', wijnrood; 'Helsingborg', donker violet.

Clematis armandii is een wintergroene clematis die niet geheel winterhard is en tegen een zuidmuur moet worden gekweekt of beter in een koude kas of serre. Het blad is glanzend groen, de bloemen in april-mei zijn wit en verkleuren roze. Cultivars: 'Apple Blossom', roze; 'Snowdrift', wit.

Clematis fusca is een 2-3 m hoge klimplant met zeer aantrekkelijke urnvormige, roodbruine bloemen in juni-augustus.

Clematis integrifolia is een hoge kruidachtige plant met eerst opgaande, later omvallende ranken. Deze clematis kan opgebonden worden, maar ook als bodembedekker fungeren. De bloemen in juni-augustus zijn paars tot donkerblauw of wit.

Clematis x *jouiniana* is een halfheesterachtige klimmer die 3-5 m hoog wordt. Ze bloeit van augustus tot oktober zeer rijk met kleine witte bloemen in pluimen. Omdat de plant niet zo erg goed kan klimmen, kan zij beter als bodembedekker worden gebruikt of over heesters groeien. Cultivars: 'Praecox', lichtblauw; 'Mrs Robert Brydon', bleeklila.

Clematis macropetala is een verhoutende klimplant die 2 tot 3 m hoog wordt. Ze is geschikt voor lage muren of als bodembedekker en bloeit in mei-juni met blauwviolette, knikkende bloemen. Van deze soort

Clematis pitcherii.

Boven: Clematis recta *var.* mandshurica
(Clematis mandshurica).

Links: Clematis montana.

is er een aantal heel mooie cultivars:
'Blue Bird', lichtblauw-violet;
'Lagoon', blauw; 'Maidwell Hall',
lavendelblauw; 'Markham's Pink',
purperroze met lila rand, 'Rödklokke', rozerood; 'Rosy O'Grady', roze;
'White Swan', wit met purper.
Clematis montana is een sterk
groeiende clematis met in mei witte,
geelwitte tot iets roze bloemen.
Veel aangeplante cultivars zijn
'Alexander', wit; 'Elizabeth',
lichtroze; f. *grandiflora*, helderwit;
'Marjorie', gevuld, roze; 'Picton's
Variety', donkerroze; 'Pink Perfection', lichtroze; 'Rubens' roze, hiervan bestaat een grote verscheiden-
heid omdat er veel uit zaad
opgekweekt worden; 'New Dawn'
vervanger van 'Tetrarose', donkerroze, groeit en bloeit beter.
'Broughton Star' is een gevulde rode
clematis.

Clematis orientalis bloeit in augus-
tus-september met gele, hangende
bloemen. Veel cultivars van deze
soort in de handel zijn eigenlijk
afkomstig van andere soorten: 'Bill
MacKenzie', geel; 'Bravo', lichtgeel;
'Corry', goudgeel; 'Orange Peel'
diepgeel, uiteindelijk oranjegeel,
zeer dikke vlezige bloembladen en
late bloei in september-oktober.
Clematis pitcheri is een 2-3 m hoge
klimplant met violetkleurige, urnvormige bloemen van mei tot september. Ze is zeer geschikt voor een
natuurlijke tuin.
Clematis potaninii klimt tot 6 m
hoog en heeft zuiver witte, aan de
buitenkant gelig behaarde bloem-
blaadjes. De cultivar 'Paul Farges' is
een kruising tussen *C. potaninii* en
C. vitalba. Het is een witbloeiende
clematis. De bloei van juni tot september omvat meer dan 10 weken.

Clematis recta is een niet-klimmende, kruidachtige plant, die wel opgebonden moet worden. Plant haar
tegen de staanders van een pergola
om een 'kale voet' van een andere
plant te bedekken. Ze bloeit in juni-
juli met witte bloemen.
Cultivars: 'Grandiflora', witte bloemen, groter dan de soort; 'Purpurea', ranken en bladeren lichtbruin
tot groenrood, bloemen wit.
Clematis recta subsp. *mandshurica*
werd vroeger als ondersoort van
C. recta beschouwd en tegenwoordig
als soort, *Clematis mandshurica*.
Clematis rehderiana wordt tot 7 m
hoog en heeft pluimen lichtgele,
knikkende, klokvormige bloemen
in augustus-oktober.
Clematis tangutica wordt tot 5 m
hoog en heeft knikkende, helder-
gele, klokvormige bloemen in juli-
september. Dit is een mooie geel-

Clematis *'Julia Correvon'*

Clematis vitalba, *bosrank.*

bloeiende soort, uitstekend geschikt om over grote struiken te groeien. Cultivars: 'Aureolin', feller geel gekleurde bloemen; 'Bill Mackenzie', gele, klokvormige, knikkende bloemen; 'Helios', gele, platte, knikkende bloemen. 'Anita' heeft zuiver witte bloemen, die zelfs bij regenachtig weer niet smetten.
Clematis texensis is een bijzonder mooie soort met rode, urnvormige bloemen van juli tot oktober.
Ze is helaas niet geheel winterhard en heeft een warme, zonnige standplaats nodig en bescherming in strenge winters.
Ze is met grootbloemige clematissen gekruist en de hybriden dragen de naam *C.* x *pseudococcinea*.
Cultivars van *C.* x *pseudococcinea*: 'Gravetye Beauty', dieprood; 'Duchess of Albany', rozerood.
Clematis vitalba (bosrank) is de enige clematis die bij ons in het wild voorkomt.
Deze zeer wilde groeier kan wel 10 m hoog worden en zo zwaar over bomen groeien dat takken erdoor knappen. Ze bloeit uitbundig met kleine, witte bloemen en krijgt dan veel vruchtpluis. Ze is geschikt voor een wildere, natuurlijke tuin.
Clematis viticella (Italiaanse bosrank) heeft violetblauwe, knikkende bloemen.
Het is een veel sierlijker en luchtiger groeier dan *C. vitalba*, die haar gastheren niet zal verstikken.
Cultivars: 'Alba Luxurians', wit; 'Etoile Violette', donker violetpaars; 'Kermesina', wijnrood; 'Madame Julia Correvon'; 'Minuet', crème met violette rand; 'Purpurea Plena Elegans', rozerood, gevuld; 'Rubra', wijnrood.

Grootbloemige clematis-hybriden
Groep 1 van de grootbloemige hybriden bloeit in mei-juni, soms tot september nabloeiend. Bij deze groep wordt direct na de hoofdbloei dood en zwak hout weggesnoeid. Pas als de plant ouder is en de groei afneemt, mag een deel van de ranken meteen na de bloei teruggesnoeid worden.
Groep 2 van de grootbloemige hybriden bloeit eind juni en juli, soms tot oktober nabloeiend. Deze planten worden op dezelfde manier gesnoeid als die van groep 1.
Groep 3 van de grootbloemige hybriden bloeit van juli tot september en oktober. De bloemen van deze planten ontstaan uitsluitend aan eenjarig hout. Aan het eind van de winter worden alle twijgen van het vorige jaar tot vlak bij de voet teruggesnoeid. Er kan ook sterker

Clematis '*Huldine*'.

Boven: Clematis gecombineerd met stokrozen.

Links: Het vruchtpluis van de clematis is vaak erg decoratief.

teruggesnoeid worden, tot op het oude hout.

Als deze groep niet wordt gesnoeid, ontstaat er een dikke dot bovenaan en is het onderste deel van de plant kaal.

- 'Barbara Dibley' Groep 1
  Gestreepte paarsrode bloemen met violette rand. Lijkt op 'Nelly Moser', maar bloeit rijker.
- 'Barbara Jackman' Groep 1
  Gestreepte violetpaarse bloemen met violette rand. Verbleken sterk.
- 'Boskoop Beauty' Groep 2
  Gestreepte violetpaarse bloemen met lichtblauwe rand. Groeit vrij gedrongen.
- 'Capitaine Thuilleaux' Groep 1
  Gestreepte licht purperroze bloemen met lichtroze rand. Bloemen verbleken minder dan 'Nelly Moser'.

- 'Carnaby' Groep 2
  Framboosroze bloemen met donkerroze streep. Rijkbloeiend.
- 'Comtesse de Bouchaud' Groep 3
  Dieproze, vrij kleine bloemen die later lichtroze worden. Zeer rijk bloeiend.
- 'Corona' Groep 1
  Helder purperroze bloemen. Bloeit rijk.
- 'Crimson King' Groep 2
  Karmozijnrode bloemen met aan achterzijde een lichtere streep.
- 'Dr. Ruppel' Groep 1
  Gestreepte paarsrode bloemen met lilaroze rand. Verbleekt veel minder dan 'Nelly Moser'.
- 'Duchess of Edinburgh' Groep 1
  Roomwitte tot witte bloemen, rozetachtig gevuld.
- 'General Sikorski' Groep 2
  Violetblauwe bloemen die haast niet verbleken.

- 'Gipsy Queen' Groep 3
  Donker violetblauwe bloemen met paarsrode streep.
- 'Hagley Hybrid' Groep 3
  Dieproze bloemen, later lichtroze. Een van de beste cultivars.
- 'Hakuôkan' Groep 1
  Bloemen violetblauw met opvallend lichtgele helmhokjes. Door dit contrast een mooie plant.
- 'Henryi' Groep 2
  Zuiver witte bloemen. Bloemen zijn groter, maar minder talrijk dan van 'Madame Le Coultre'.
- 'H.F. Young' Groep 1
  Zuiver blauwe bloemen. Wordt beschouwd als een van de beste blauwe cultivars.
- 'Huldine' Groep 3
  Witte bloemen met lichtpaarse achterzijde en violetpaarse streep. Groeit zeer sterk, eventueel over struiken.

Clematis 'Niobe'.

Boven: Clematis 'Nelly Moser' met Rosa 'Dortmund'.

Links: Clematis 'Jackmanii'.

- 'Jackmanii' Groep 3
  Dit was de eerste kruising tussen een Oostaziatische en een Europese soort, die in 1860 in de kwekerij van Jackman in Engeland werd ontwikkeld. Ze was met haar grote, platte, fluwelig blauwe bloemen de eerste grootbloemige.
- 'Jackmanii Superba' Groep 3
  Deze clematis is donkerder van kleur dan 'Jackmanii' en heeft bredere bloemdekbladen.
- 'Joan Picton' Groep 1
  Mauveroze bloemen met lilawitte streep. Rijkbloeiend.
- 'John Paul II' Groep 3
  Gestreepte purperroze bloemen met lichtere rand. Bloemen verbleken minder dan die van 'Nelly Moser' en de plant groeit sterker.
- 'John Warren' Groep 2 Paarsroze

tot witte bloemen met paarsroze streep. De bloemkleur is bijzonder.
- 'Kathleen Dunford' Groep 1
  Lichtpaars tot licht violetrode bloemen, paarslila verkleurend.
- 'Lady Betty Balfour' Groep 3
  Blauwpaarse bloemen. Ze bloeit pas in september-oktober en heeft daarom een zonnige plaats nodig.
- 'Lady Northcliffe' Groep 2
  Prachtig gekleurde violetblauwe bloemen. Rijkbloeiend.
- 'Lawsoniana' Groep 2
  Licht violetblauwe bloemen. Goede nabloei.
- 'Madame Julia Correvon' Groep 3
  Wijnrode, iets kleinere bloemen. Zeer rijkbloeiend.
- 'Madame Le Coultre' Groep 2
  Zuiver witte bloemen. Rijkbloeiend. Wordt beschouwd als de mooiste witte cultivar.

- 'Miss Bateman' Groep 1
  Zuiver witte, iets geurende bloemen.
- 'Mrs. N. Thompson' Groep 1
  Violetblauwe bloemen met paarsrode streep.
- 'Mrs. P.B. Truaux' Groep 1
  Lilablauwe bloemen, rijkbloeiend.
- 'Mrs. Spencer Castle' Groep 3
  Paarsroze bloemen met purperroze rand. De eerste bloemen zijn halfgevuld, in de nazomer enkel.
- 'Nelly Moser' Groep 1
  Gestreepte purperroze bloemen met lichtroze rand. Verbloeit geheel wit. Als de plant in de schaduw wordt geplant, verbleken de bloemen minder.
- 'Niobe' Groep 3
  Bijzonder mooie dieprode tot donker purperrode bloemen.
- 'Perle d'Azur' Groep 3
  Violetblauwe, knikkende

Clematis macropetala *'Rosy O'Grady'* *is in de herfst helemaal met vruchtpluis bedekt.*

Boven: Cobaea scandens.

Links: Clematis *'The President'*.

bloemen. Rijk en lang bloeiend.

- 'Pink Fantasy' Groep 3
  Lichtroze bloemen met zwak purperrode streep. Bijzondere bloemkleur. Rijkbloeiend.
- 'Prince Charles' Groep 3
  Violetblauwe, knikkende bloemen.
- 'The President' Groep 1
  Violetblauwe bloemen met donkerblauwe rand.
- 'Rouge Cardinal' Groep 3
  Bloemen hebben een schitterende donkerrode kleur.
- 'Sealand Gem' Groep 2
  Gestreepte paarsrode bloemen met violetroze rand.
- 'Silver Moon' Groep 2
  Licht violette bloemen, die er satijnachtig uitzien. Ze groeit het beste in halfschaduw.
- 'Star of India' Groep 3
  Knikkende violetblauwe bloemen

met onopvallende violetrode streep. Bloeit zeer rijk.

- 'Sylvia Denny' Groep 3
  Witte, gevulde bloemen. De mooiste gevulde, grootbloemige witte clematis die er is.
- 'Twilight' Groep 3
  Donker paars roze bloemen. Verbleekt sterk in de volle zon. Rijkbloeiend.
- 'Ville de Lyon' Groep 3
  Donker purperrode bloemen met lichtere streep. Sterke clematis, minder gevoelig voor ziekten.
- 'Vino' Groep 2
  Licht purperen bloemen.
- 'Violet Charm' Groep 2
  Blauwpaarse bloemen, die later iets lichter worden.
- 'Vyvyan Pennell' Groep 1
  Violetblauwe bloemen, aan de achterzijde roodachtig violet met rode streep. Bij de eerste bloei

dicht gevuld. Wordt beschouwd als de mooiste gevulde bloem.

- 'Warszawska Nike' Groep 2
  Donker roodpurperen bijna zwarte bloemen. Zeer bijzonder.
- 'William Kennett' Groep 2
  Licht violetblauwe bloemen. Bloeit lang en rijk en wordt beschouwd als de beste cultivar in deze kleur.

Cobaea

Cobaea scandens De klokwinde is een overblijvende klimplant met een enorme groeikracht, die eenjarig gekweekt wordt en niet winterhard is. De 8 cm grote violetblauwe of witte bloemen zijn klokvormig. Ook het blad is decoratief. De plant is in staat om grote objecten te overgroeien en bloeit tot in oktober. Ze heeft in de zomer veel water nodig. De plant is als zaad verkrijgbaar.

Cucurbita maxima *'Turbaniformis'*,
Turkse muts.

Kleinere klimmers kunnen met behulp
van rijshout omhoog geholpen worden.

Codonopsis

Er zijn verschillende tijgerklokjes die
tot de klimplanten gerekend worden.
Codonopsis lanceolata is een
2,5 tot 3 m hoge klimplant met donkergroen, ovaal blad en van augustus tot oktober 4-6 cm grote klokvormige, geelachtig groene bloemen
met bruine tekening. Deze bijzondere plant ruikt net als de andere
codonopsissoorten onaangenaam
en trekt wespen aan, maar is toch de
moeite waard. Ze is zeer geschikt
voor pergola's.
Codonopsis rotundifolia wordt
even hoog als de vorige soort met
lichtgroen blad en 3-3,5 cm grote
klokvormige bloemen. De bloemen
zijn licht groengeel met een paarse
tekening en soms helemaal wit.
Codonopsis tangshen wordt tot 1 m
hoog en bloeit in juni-juli met
groenachtige klokvormige bloemen

met een netwerk van purperen nerven en een purperen vlek onderin
de bloem.

Cucurbita

Fors groeiende eenjarige klimplanten waartoe pompoenen, courgettes
en kalebassen horen. Om deze
als klimplant te gebruiken, moeten
soorten met kleinere vruchten
geplant worden.
Cucurbiata pepo 'Ovifera' (sierka-
lebas) maakt ranken tot 5 m en kan
heel goed langs hekken en bogen
groeien. Ze wordt vaak als bodembedekker gekweekt. De vruchten
worden 10 tot 25 cm groot en zijn
zeer gevarieerd in kleur en vorm.
De schil kan glad of wrattig zijn.
Ze kunnen de vorm van een appel,
peer, ei of fles hebben. De kleur
varieert van lichtgeel, donkergeel,
wit, groen, oranje tot gestreept en

gevlekt. De vruchten blijven lang
houdbaar. De plant heeft wel ruimte
nodig. Ze is als zaad verkrijgbaar.
Cucurbita maxima 'Turbaniformis'
(Turkse muts) Deze bijzonder
gevormde kalebas is oranje, geel en
groen gekleurd en gestreept.
De vrucht is eetbaar. De plant is als
zaad verkrijgbaar.

Cyclanthera

Cyclanthera pedata is een eenjarige
klimplant, die in de vorige eeuw in
de moestuin werd gekweekt. Op een
warme plaats zal ze een dicht
scherm van blad vormen van 3 m
hoog. Vanaf augustus verschijnen
kleine vruchtjes, die zo gegeten
kunnen worden of in azijn kunnen
worden ingelegd.

Decumaria

Decumaria barbara is zowel ver-

Na de herfst met zijn felle kleuren blijven alleen de groenblijvers, zoals deze bonte klimop en de Euonymus *over.*

Eccremocarpus scaber.

want met de klimhortensia, *Hydrangea petiolaris*, als met *Schizophragma hydrangeoides*. De plant is iets vorstgevoeliger en wenst in koude winters bescherming. Ze bloeit 's zomers met geurige witte bloemen. Het blad is felgroen, later donkergroen en heeft een gele herfstkleur. De plant wordt in lichte tot halfschaduw, geen volle zon, 6 m hoog.

Eccremocarpus

Eccremocarpus scaber is een niet winterharde overblijvende plant, die meestal als eenjarige wordt gekweekt. Ze wordt op een beschutte, zonnige plaats 3-4 m hoog en bloeit vanaf juni zeer rijk en lang met trossen buisvormige bloemen. Goed afgedekt kan de plant soms overwinteren. Ze laat zich echter gemakkelijk zaaien. Het zaad is op kleur verkrijgbaar: 'Tresco Gold',

goudgeel; 'Tresco Rose', roze met gele rand; 'Tresco Scarlet', scharlakenrood met okergele rand; 'Tresco Mixture', mengsel van bovengenoemde kleuren.

Euonymus

Euonymus fortunei is wintergroen en kan 8 m hoog worden. De soort heeft groen blad, onopvallende bloemen en is dicht bebladerd. Ze kan net als klimop een muur goed bedekken, maar groeit minder krachtig. De plant heeft hechtwortels, maar vormt niet-hechtende takken in volwassen toestand. Door snoeien zal de plant geen volwassen takken gaan vormen. Net als bij klimop moeten voor klimmende planten geen stekken worden genomen van volwassen, niet-klimmende takken. Daaruit groeien heesters, die niet klimmen. De plant kan,

eenmaal aan de groei, tegen vrij droge grond, zon en vrij diepe schaduw. De bontbladige cultivars worden meer aangeplant dan de groene soort.

Euonymus fortunei 'Coloratus' heeft groen blad, dat paars wordt in de winter. Het is een van de snelst groeiende cultivars.

Euonymus fortunei 'Emerald Gaiety' is witbont met rond grijsgroen blad met witte rand. Het wit wordt in een koude winter roze.

Euonymus fortunei 'Emerald 'n Gold' is geelbont met donker grijsgroen blad met gele rand. Het geel wordt roze-rood in een koude winter. Dit is een van de meest aangeplante cultivars.

Euonymus fortunei 'Sunshine' is geelbont met grijsgroen blad. Ze groeit iets sneller dan de andere bonte vormen.

Gloriosa superba, *prachtlelie.*

Fremontodendron californicum.

Euonymus fortunei 'Sunspot' is een geelgevlekte, aantrekkelijke cultivar. *Euonymus fortunei* 'Vegetus' is eirond en heeft zeer dik, dofgroen blad en rode vruchten in de herfst.

Fremontodendron

Fremontodendron californicum is eigenlijk geen klimplant, maar een slap groeiende struik die tegen de muur geleid kan worden en uiteindelijk 9 m hoog wordt. Ze is de laatste tijd zeer bekend als kuipplant. De plant is vorstgevoelig, vooral in de jeugd. Op een zeer beschutte, zonnige plaats kan ze het zo naar haar zin hebben, dat zij zeer uitbundig met gele bloemen bloeit, maar dit is een uitzondering. Het is eigenlijk een kuipplant die 's winters naar binnen moet, of een serreplant. Ze kan ineens op onverklaarbare wijze afsterven.

Fremontodendron californicum 'California Glory', met grote, gele bloemen, is een van de bekendste cultivars. *Fremontodendron californicum* 'Pacific Sunset' is geel. *Fremontodendron mexicanum* heeft oranjegele bloemen en is vorstgevoeliger.

Gelsemium

Gelsemium sempervirens is alleen geschikt voor de serre. Het is een windende groenblijvende plant met gele, heerlijk geurende trompetvormige bloemen. *Gelsemium sempervirens* 'Plena' heeft dubbele bloemen. *Gelsemium sempervirens* 'Pride of August' heeft gele bloemen.

Gloriosa

Gloriosa superba (prachtlelie) is een voor de serre geschikt knolgewas. De plant is meestal als knollen in het voorjaar te koop en wordt ook als kamerplant verkocht. De bladeren lopen uit op ranken waarmee de plant klimt. De plant kan in de serre langs draden of touw worden geleid. De bloemen zijn bijzonder en worden wel als snijbloem verkocht. Ze zijn groot en bestaan uit 6 teruggebogen bloembladen, meestal rood met een gele rand. De uitstekende meeldraden zijn geel. Na de bloei sterft de plant bovengronds af. De knollen moeten bij 10 °C droog worden bewaard en in het voorjaar weer in de grond gezet worden. De plant wordt het mooist als zij in de volle grond van de serre wordt geplant, maar is ook geschikt als kuipplant.

Hedera helix *'Goldheart'*.

*Boven: In sterk geschermde kassen wordt
klimop in eindeloze rijen gekweekt.
Links: Klimop is een uitstekende plant
om zaken mee te camoufleren zoals hier
het open-haardhout in de carport.*

Hardenbergia

Hardenbergia comptoniana is wintergroen, vorstgevoelig en geschikt
voor de serre. Vroeg in het voorjaar
verschijnen de paarsblauwe vlinderbloemen. Na de bloei moet u haar
terugsnoeien voor een compactere
groei. Er zijn ook witte en roze cultivars.

Hedera

De klimop is een bekende groenblijvende, zelfhechtende klimplant.
In volwassen staat zijn het heesters
die niet klimmen, maar bloemen en
vruchten dragen. Worden er stekken van de volwassen vorm genomen, dan blijven het heesters, die
nooit klimmen. Worden er stekken
van klimmende planten genomen,
dan zullen deze planten wel gaan
klimmen. Er zijn weinig soorten,
maar erg veel cultivars, waarvan

hier alleen een keuze is gemaakt uit
planten die winterhard zijn.
Hedera colchica is een aantrekkelijke, groenbladige klimop met
groot, dik, leerachtig, vaak onge-
lobd blad. Ze komt oorspronkelijk
uit de Kaukasus, ten zuiden van de
Kaspische Zee tot in het oosten van
Turkije en de Zwarte Zee. Ze groeit
zeer krachtig en is niet alleen
geschikt voor muren en schuttingen,
maar ook als bodembedekker.
Ze geeft de voorkeur aan lichte
schaduw, maar verdraagt zowel
volle zon als diepe schaduw.
Hedera colchica 'Dentata Variegata' groeit krachtig met lichtgroen
met grijsgroen blad en een geelwitte,
onregelmatig brede rand. Deze
bonte buitenklimop heeft het grootste blad. De plant is goed winterhard en de bladeren hebben alleen
in zeer strenge winters te lijden.

Hedera colchica 'Sulphur Heart'
groeit krachtig met lichtgroen blad
en een geel of groengeel centrum.
Geschikt voor muren, schuttingen,
lage hekken en als bodembedekker.
Hedera helix is inheems in Midden-
Europa, van Noord- tot Zuid-Scan-
dinavië. Het grootste aantal klimop-
cultivars stamt van deze soort af. Ze
is in staat onder de slechtste
omstandigheden te groeien. Jong
blad is drie- tot vijflobbig, volwassen
blad eirond-driehoekig.
Hedera helix 'Deltoidea' is lichtgroen met hartvormig blad. Op een
zonnige plaats wordt het rood in de
winter.
Hedera helix 'Glacier' heeft grijsgroen blad met een zilvergrijs centrum en een smalle, witte rand. Het
is een goede zilverbonte cultivar
voor buiten.
Hedera helix 'Goldheart' heeft don-

kergroen blad met een geel centrum.
De mooie bladkleur loopt echter
terug na snoei en als bodembedekker.
Hedera helix 'Green Ripple' heeft
donkergroen blad met 5 spitse lobben. Ze is buiten geschikt voor niet
al te grote vlakken.
Hedera helix 'Sulphurea' heeft
grijsgroen blad met wat donkerder
vlekken en een lichtgele rand. Ze is
geschikt voor grote vlakken in zon
en schaduw.
Hedera helix 'Woerner' heeft donkergroen blad met lichte nerven en
is 's winters roodbruin. Ze is zeer
winterhard en geschikt voor grote
vlakken, zowel in zon als schaduw.
Ze kan ook tegen muren en schuttingen klimmen, zelfs op de koudste
plaatsen.
Hedera hibernica 'Hibernica' is
lichtgroen en heeft in de winter iets
rood blad. Deze krachtig groeiende

plant is zeer geschikt als bodembedekker en om verticale vlakken te
begroeien. Ze wordt meestal als
bodembedekker aangeplant.

Hibbertia

Hibbertia scandens Deze wilde
groeier moet als er gebrek aan ruimte is, binnen de perken gehouden
worden in een pot. Ze is niet winterhard, en kan buiten als eenjarige
worden gekweekt. Het blad is donkergroen en de bloemen zijn geel.
De plant bloeit lang.

Hoya

Hoya carnosa wordt meestal als
kamerplant gekweekt, maar voelt
zich veel beter thuis in de serre.
De bladeren zijn dik en vlezig en de
bloemen zijn roze. Ze geuren vooral
's avonds en 's nachts heerlijk. Er
zijn 200 verschillende wasbloemen.

Hedera helix *in knop.*

Humulus

Humulus lupulus Deze hop komt
hier ook in het wild voor. Het is een
wild groeiende liaan met ruw, donkergroen blad. De vrouwelijke plant
heeft sierwaarde door hopbellen. Ze
is geschikt voor de natuurlijke tuin
en waardplant voor de gehakkelde
aurelia, een vlinder. Ze geeft nest-
gelegenheid aan vogels.
Humulus lupulus 'Aureus' Deze
geelbladige soort wordt vaker in de
tuin gekweekt. Als de plant te donker staat, zullen de bladeren groen
worden. Ze wenst volle zon tot lichte schaduw. De plant sterft in de
herfst af, waarna de oude stengels
verwijderd kunnen worden. U kunt
dit beter in het voorjaar doen, zodat
de dieren de dode takken in de winter als schuilgelegenheid kunnen

gebruiken. Oude takken kunnen ook als klimsteun voor de jonge stengels dienen.

Humulus scandens (Japanse hop) is eenjarig, wordt in één seizoen 6 m hoog en zorgt voor een dicht bladerdek. Ze kan goed zelf gezaaid worden en is als zaad, maar ook als plant verkrijgbaar.

Hydrangea

Van dit geslacht bestaan verschillende soorten en daar weer veel cultivars van, die geen van alle klimmen, behalve *Hydrangea petiolaris*.

Hydrangea petiolaris (syn. *H. anomala* subsp. *petiolaris*) De klimhortensia is een ideale, zelfhechtende klimplant, zowel voor schaduw als zon. Ze is niet alleen geschikt voor muren en schuttingen, maar ook als bodembedekker. Het groene blad krijgt een gele herfstkleur. Ze bloeit

in witte, ronde schermen met fertiele bloemetjes in het midden en witte steriele bloemen langs de rand. Hoewel de plant zichzelf hecht, moet zij in het begin wel geholpen worden door een paar horizontale draden te spannen. Ook later zijn soms nog draden nodig omdat de plant anders van de muur af kan waaien. Ze doet er soms lang over om te gaan groeien, maar is daarna niet meer te stuiten en kan uiteindelijk een oppervlak van 12 x 12 m bedekken.

Ipomoea

Ipomoea lobata (syn. *Mina lobata*) is een vaste plant die als eenjarige buiten wordt gekweekt. Ze kan ook in de serre. Ze heeft bijzondere driekleurige bloemen, die eerst felrood zijn en daarna via oranje naar lichtgeel verkleuren. Het is een dankbare

Hopbellen.

klimplant die de hele zomer op een warme plaats rijk bloeit. Ze is als zaad verkrijgbaar.

Ipomoea tricolor De dagbloem is een overblijvende klimplant, maar wordt eenjarig gekweekt. Ze wordt vaak als potplant bij de bloemist aangeboden, maar u kunt haar ook zelf zaaien. Ze voelt zich buiten in de volle grond in de zon het best op haar plaats, in de border tegen een driepoot of hoge rozenstandaard. Ze kan meer dan 3 m hoog worden en bloeit aan één stuk door van juli tot september. De plant heeft veel water nodig. Er zijn diverse cultivars op kleur verkrijgbaar.

Ipomoea tricolor 'Flying Saucers' is grootbloemig, blauw met wit.

Ipomoea tricolor 'Heavenly Blue' is hemelsblauw met blauw en gele keel.

115

Jasminum officinale 'Grandiflorum'.

Ipomoea tricolor, dagbloem.

Ipomoea tricolor 'Pearly Gates' is wit.
Ipomoea tricolor 'Rubro Coerulea' is hemelsblauw.

Jasminum

Tot de jasmijn behoren veel klimmers, waarvan er maar weinig winterhard zijn. Veel soorten zijn wel geschikt voor de serre.
Jasminum beesianum bloeit in de serre met rode bloemen, die heerlijk geuren.
Jasminum nudiflorum wordt veel aangeplant tegen gevels. De lange slappe, groene takken moeten aangebonden worden. Ze bloeit in de winter en het voorjaar met gele bloemen en kan vrij veel schaduw verdragen. Bij zeer strenge vorst kunnen de knoppen beschadigen, maar de plant herstelt zich snel.
Jasminum officinale is vorstgevoe-

lig en moet op een beschutte plaats staan en 's winters beschermd worden. Ze herstelt zich snel van niet al te ernstige vorstschade. De witte bloemen uit roze knoppen geuren heerlijk. Ze kan ook in de serre.
Jasminum officinale 'Grandiflorum' heeft iets grotere witte bloemen.
Jasminum polyanthum lijkt op *J. officinale*, maar verdraagt geen enkele vorst. Deze plant is als kamerplant verkrijgbaar, maar voelt zich veel beter thuis in de serre.
De geur van de witte bloemen, die uit roze knoppen komen, is bedwelmend.
Jasminum x *stephanense* is geschikt voor buiten op een beschutte plaats met winterdek of in de serre.
De roze bloemen geuren heerlijk. Ze groeit het beste in de volle zon of lichte schaduw.

Kadsura

Kadsura japonica is een groenblijvende windende plant voor de serre met donkergroen, glanzend blad en geurende gele bloemen, gevolgd door rode vruchten. *K. j.* 'Shiromi' heeft crèmekleurige bloemen.

Kennedia

Deze Australische, snelgroeiende slingerplanten voor de serre zijn goed uit zaad te kweken en als kuipplant verkrijgbaar. Het zijn overblijvende planten die verjongd kunnen worden door ze in het voorjaar flink terug te snoeien.
Kennedia coccinea heeft in voorjaar en zomer opvallende scharlakenrode bloemen. *Kennedia nigricans* heeft chocoladebruine bloemen in het voorjaar.
Kennedia rubricunda bloeit koraalrood in voorjaar en zomer.

Lathyrus *'White Supreme'*.
Boven: Lathyrus *'Lilac Silk'*.
Rechts: Lathyrus latifolius.

Lablab

Lablab purpureus Deze vlinderbloemige klimplant uit tropisch Azië is geschikt als serreplant. In China wordt ze als groente gekweekt. Ze lijkt op de pronkboon en bloeit met witte of paarse bloemen in lange trossen. De jonge peulen zijn eetbaar.

Lapargeria

Lapargeria rosea is een bijzonder opvallend bloeiende plant voor de serre, afkomstig uit Chili. Ze is genoemd naar Josephine la Pagerie, de meisjesnaam van de eerste vrouw van Napoleon. De vlezige bladeren zijn wintergroen en de bloemen klokvormig, wasachtig en roze van kleur.
Er bestaan diverse, moeilijk te krijgen cultivars.

Lathyrus

Lathyrus latifolius, vaste lathyrus, kan over hekjes, heggen en lage muurtjes groeien en als bodembedekker. Ze bloeit rijk, maar geurt niet. Deze overblijvende plant sterft voor de winter af en bereikt in één jaar een hoogte van 2 m. Er zijn diverse cultivars: 'Pink Pearl', zachtroze; 'White Pearl', wit; 'Red Pearl', rood; 'Soft Pink' en 'Rose Queen', roze.
Lathyrus grandiflorus is een vaste plant met paarsroze bloemen.
Lathyrus odoratus De bekende eenjarige, welriekende lathyrus wordt wel pronkerwt of siererwt genoemd. Deze eenjarige heeft zeer goede grond nodig, volle zon en een beschutte standplaats, maar liefst niet tegen een muur. Lathyrus is een uitstekende snijbloem. Hoe meer bloemen er geplukt worden, hoe meer de plant gaat bloeien. Er zijn zoveel cultivars dat we er niet naar streven compleet te zijn en er maar enkele noemen. Vaak wordt zaad in een mengsel van kleuren aangeboden, maar bij de gespecialiseerde zaadhandel ook op kleur.
'Capri', lichtblauw; 'Daisy', wit; 'Elisabeth Taylor', zachtpaars; 'Flagship', donkerblauw; 'Gigantic', wit; 'Leamington' lila; 'Noel Sutton', blauw; 'Radar', roze; 'Royal Maroon' purper; 'Welcome', rood.
Lathyrus sativus (zaailathyrus) is eenjarig en bloeit met onopvallende kleine blauwe bloemen. Cultivars zijn 'Azure Blue', blauw; 'Albus', wit.
Lathyrus sylvestris (boslathyrus) heeft rozegevlekte bloemen.
Lathyrus tuberosus (aardaker) komt nog in het wild voor, maar is een beschermde plant. Gelukkig

Lathyrus '*Sylvia Mary*'.
Boven: Lonicera *x* heckrotti.
Links: Lathyrus tuberosus, *aardaker.*

zijn ze bij gespecialiseerde kwekers te koop. Het blad heeft hecht-ranken. De bloemen zijn helderrood en zitten met 3-9 bij elkaar aan een steel. De plant is een goede bodembedekker en kan door struiken groeien.

Lonicera

Er zijn veel soorten kamperfoelie, waarvan de meeste klimmen.
Er zijn echter ook al dan niet groen-blijvende heesters bij.
Lonicera x *americana* groeit sterk en wordt uiteindelijk 6 m hoog. De trompetvormige bloemen zitten in een bloeiwijze die karakteristiek voor kamperfoelie-achtigen is.
De rozewitte en gele bloemen geuren heerlijk. De plant geeft de voorkeur aan lichte schaduw, maar doet het ook in volle zon of halfschaduw.
Lonicera x *brownii* wordt om haar,

helaas geurloze, maar bijzonder fraaie oranjerode bloemen gekweekt. Ze wil net als de andere kamperfoeliesoorten een vochtige, vruchtbare, watervasthoudende grond. Ze hoeft alleen in de jeugd aangebonden te worden. Cultivars:
Lonicera x *brownii* 'Dropmore Scarlet' bloeit lang en is wat roder.
Lonicera x *brownii* 'Orange Drops' heeft oranje bloemen.
Lonicera x *brownii* 'Fuchsioides' heeft grotere oranjerode bloemen.
Lonicera caprifolium is een sterk groeiende klimmer waarvan de bovenste bladparen vergroeid zijn. De lichtgele bloemen geuren sterk.
Lonicera etrusca is een sterke groeier met rozegele, geurende bloe-men. De bladparen zijn vergroeid.
Lonicera x *heckrotii* is een van de minst sterk groeiende kamperfoelie-soorten, die maar 3 m hoog wordt.

De geurende bloemen zijn oranjero-ze. *Lonicera* x *heckrotii* 'Gold-flame' is een bekende cultivar.
Lonicera japonica (Japanse kam-perfoelie) is een half wintergroene klimplant uit Japan. Veel gekweekte cultivars zijn:
Lonicera japonica 'Halliana' heeft behaard blad en witte bloemen, die later geel worden. Ze moet één maal in de paar jaar na de bloei gesnoeid worden door alle uitstekende ranken af te knippen tot een hoogte van 1,5 m.
Lonicera japonica 'Hall's Prolific' lijkt op 'Halliana'.
Lonicera japonica var. *repens* is een van de mooiste Japanse kamperfoelies, die op stam kan worden gekweekt.
Lonicera periclymenum (wilde kamperfoelie) is inheems in Europa. Ze staat bekend om de heerlijk

geurende, geelroze bloemen.
De verschillende cultivars worden
vaker in tuinen aangeplant dan de
soort.
Lonicera periclymenum 'Belgica'
wordt in Engeland de 'vroege
Hollandse kamperfoelie' genoemd.
Ze heeft zachtgele bloemen, rood
aan de buitenkant.
Lonicera periclymenum 'Belgica
Select' is geelroze.
Lonicera periclymenum 'Cream
Cloud' is vrijwel wit.
Lonicera periclymenum 'Graham
Thomas' is crème.
Lonicera periclymenum 'Serotina'
wordt in Engeland de 'late Holland-
se kamperfoelie' genoemd. Ze bloeit
later en is donkerder paars van
kleur, roze van binnen.
Lonicera periclymenum 'Serpenti-
ne' is paarsrood.
Lonicera tellmanniana geurt niet,

is wat vorstgevoelig en wordt 4,5 m
hoog. De bloemen hebben een bijzondere oranjegele kleur.
Lonicera tragophylla is licht vorstgevoelig en moet op een beschutte
plaats worden geplant. De bloemen
zijn geel en geurloos.

Mandevilla

Mandevilla x *amabilis* 'Alice du
Pont' is groenblijvend en zeer
geschikt voor de serre. Ze kan
's zomers buiten in een pot staan.
Ze bloeit met grote roze bloemen.
Mandevilla heette vroeger *Dipla-
denia*. Ze wordt wel als kamerplant
verkocht, maar voelt zich in een pot
niet en in de volle grond van de
serre wel thuis.
Mandevilla suaveolens (syn. *M.
laxa*) heeft welriekende witte bloemen en hartvormige bladeren.
Ze kan goed gezaaid worden, maar

Mandevilla suaveolens.

is soms moeilijk in bloei te krijgen.
Ze doet het goed in de serre.

Menispermum

Menispermum canadense is een
bladverliezende houtige slingerplant die 5 m hoog wordt. Ze wordt
gekweekt om de mooie vruchten,
die halvemaanvormig zaad
bevatten. De kleine bloemen zijn
groenachtig geel. De bolvormige,
zwarte vruchten zijn giftig. Het zijn
tweehuizige planten en er is dus een
manlijke en een vrouwelijke plant
nodig om vruchten te krijgen. De
plant is vorstbestendig en wordt
door zaad of uitlopers vermeerderd.
Menispermum dauricum is meestal
beter verkrijgbaar. De plant lijkt erg
op de vorige en is ervan te onderscheiden doordat de jonge scheuten

Oxypetalum caeruleum.

Menispermum canadense.

van *M. canadensis* in het begin
behaard zijn en die van *M. dauricum* onbehaard. De bladeren zijn
kleiner en glimmen iets meer.
Ze hebben beide sierwaarde als
bladplant en als ze vruchten dragen.

Oxypetalum

Oxypetalum caeruleum Deze
kruidachtige slingerplant is niet
winterhard en wordt meestal
uit zaad gekweekt en als eenjarige
behandeld. Ze kan in de serre of
buiten als eenjarige gekweekt
worden en bloeit in de zomer en
begin herfst met kleine, vlezige,
lichtblauwe bloemen. Ze wordt
maar 1 m hoog.

Parthenocissus

De wingerd is nauw verwant aan
Ampelopsis en *Vitis* en er bestaat
nogal eens wat naamsverwarring

over. De wingerd wordt gekweekt
om het blad, dat in de herfst prachtig verkleurt. Ze heeft hechtkussen-
tjes aan het uiteinde van de bladranken en kan grote muurvlakken op
het noorden en oosten snel bedekken.
Parthenocissus henryana heeft
drie- of vijftallig, handvormig blad
dat in de zomer en de herfst zeer
aantrekkelijk is. Het blad is donkergroen tot bronskleurig met witte of
roze-achtige nerven. Ze vraagt
vruchtbare, goed vochthoudende
grond. Ze kan zowel in zon als
schaduw, maar de bladtekening is
minder in de volle zon. Ze heeft in
het begin wat klimhulp nodig, later
niet meer. Ze verkleurt in de herfst
donkerrood.
Pathenocissus quinquefolia is een
zeer snel groeiende klimmer met
zeer fraaie herfstkleur. Het blad is

vijftallig en krijgt in de herfst een
fantastische roodoranje kleur. Ze
groeit niet alleen op muren, hekken
en bomen, maar is ook een geschikte bodembedekker. Ze heeft het
liefst volle zon, maar verdraagt lichte schaduw. Het kan een paar jaar
duren voor de plant goed aan de
groei gaat, maar is daarna zeer snel
en kan uiteindelijk een vlak van
20 x 20 m bedekken.
Parthenocissus quinquefolia
'Engelmanii' heeft kleiner blad,
maar dezelfde mooie herfstkleur als
de soort.
Parthenocissus thompsonii heeft
glanzend groen, vijftallig blad, dat
in de herfst donkerrood wordt.
Ze wordt 10 m hoog.
Parthenocissus tricuspidata groeit
krachtig en heeft enkelvoudig, drie-
lobbig of drietallig blad. Ze bedekt
zeer grote muurvlakken, loopt in

Passiflora aurantiacum. *De bloem van een
passiebloem kan soms bizarre
vormen aannemen.*

Boven: Parthenocissus tricuspidata
'Veitchii'.
Rechts: Passiflora caerulea.

het voorjaar donkerrood uit en verkleurt daarna tot donkergroen. De
herfstkleur is fantastisch en varieert
van felgeel tot helderrood. Hoe zonniger de plant staat, hoe mooier de
herfstkleur is. Veel voorkomende
cultivars zijn:
Parthenocissus tricuspidata
'Lowii' heeft fijner, diep ingesneden,
kleiner blad.
Parthenocissus tricuspidata
'Veitchii' heeft enkelvoudig en drietallig samengesteld blad met een
fantastische herfstkleur. Het is de
meest gekweekte wingerd.

Passiflora

Passiebloemen zijn op een paar uit-
zonderingen na niet winterhard en
moeten in de serre gekweekt worden. Ze zijn wintergroen en hebben
hechtranken waarmee ze klimmen.
De meest winterharde soorten kun-

nen op een zeer beschutte, zonnige
plaats buiten groeien, mits ze in de
winter beschermd worden. Er zijn
zoveel mooie soorten en cultivars
van de passiebloem, dat veel mensen er een collectie van aanleggen.
De planten kunnen in de serre uitstekend dienst doen als zonnescherm. De bloemen van de passiebloem zijn spectaculair en zouden
het passieverhaal uitbeelden: de tien
kroonblaadjes als tien apostelen,
de ring helmdraden is de doornen-
kroon, de vijf meeldraden zijn
de vijf wonden en de drie stempels
de drie nagels.
Passiflora antioquiensis moet in
de serre en heeft rode bloemen.
Door de bloemen met de hand te
bestuiven, komen er gele, eetbare
vruchten aan de plant.
Passiflora caerulea komt het meest
voor en kan lichte vorst verdragen.

De blauwe bloemen bloeien net als
de andere passiebloemen, maar één
dag, maar de bloei is zo uitbundig
dat de plant bij zonnig weer over-
dekt is met bloemen. De ovale,
oranje vruchten zijn wel eetbaar,
maar niet lekker.
Passiflora caerulea 'Constance
Elliot' heeft zuiverwitte bloemen.
Deze cultivar is nog vorstgevoeliger
dan de soort.
Passiflora caerulea 'Exoniensis'
heeft roze bloemen.
Passiflora edulis brengt lekkere,
eetbare passievruchten voort.
De bloem ziet er wat slordig uit,
maar de vruchten zijn heerlijk geurig. Het is een serreplant.
Passiflora racemosa De karmijnrode bloemen van deze passiebloem
zitten niet tussen het blad en komen
mooi uit, ook omdat ze in trossen
bij elkaar zitten.

121

Plumbago auriculata *'Alba'*.

Boven: Periploca graeca.

Links: Phaseolus coccineus, *pronkboon.*

Periploca

Periploca graeca is een bladverliezende slingerplant die 9 m hoog kan worden. Ze is vorstgevoelig en moet buiten op een warme beschutte plaats gekweekt worden met bescherming in de winter, of in de serre. 's Zomers draagt ze trossen zeer fraaie, gele bloemen die van binnen paarsbruin zijn.

Phaseolus

Phaseolus coccineus (pronkboon) is eenjarig en komt meestal niet in een klimplantenboek voor, maar in een moestuinboek. Pronkbonen zijn echter zulke decoratieve klimplanten, dat ze kunnen concurreren met de mooiste eenjarigen. Ze verdienen beter dan een hoekje in de moestuin. De planten zijn sterk en de meeste cultivars bloeien met decoratieve, opvallende rode bloe-

men. Er zijn ook roze- en witbloeiende rassen. 'Sunset' is een fraai roze ras. 'Painted Lady' is tweekleurig. De bloemen hebben een rode vlag en witte zwaarden en kiel. Tijdens het groeiseizoen moeten de planten veel water hebben. Als extraatje verschijnen na de bloei de lange, eetbare peulen. Ze kunnen gegeten worden als ze 20-30 cm lang zijn, dan zijn ze nog niet draderig. De peulen kunnen ook blijven hangen tot de zaden rijp zijn. Deze zijn ook eetbaar en afhankelijk van het ras verschillend gekleurd.

Pileostegia

Pileostegia viburnoides is groenblijvend en heeft leerachtig, donkergroen blad. Ze groeit langzaam. Het blad kan door strenge vorst beschadigd worden. Ze verdraagt volle zon tot lichte schaduw. Het duurt een

aantal jaren voor de plant goed gaat groeien. Bescherm haar in strenge winters.

Plumbago

Plumbago auriculata is groenblijvend, heeft felblauwe en soms witte bloemen en is geschikt voor de serre. Ze wordt als kamerplant verkocht en kan 's zomers buiten. Verwijder na de bloei de bloeischeuten. Ze heeft veel grond nodig.

Polygonum

Polygonum aubertii (bruidssluier) groeit zeer wild en bloeit in de zomer met pluimen witte bloemen. De plant is in staat om in een korte periode hele gebouwen te overgroeien. Ze vraagt volle zon tot halfschaduw, maar bloeit in de zon het beste. Het hartvormige blad heeft een gele herfstkleur. De plant hoeft

.Er is een grote variatie in kleuren en hoogten van klimrozen.

Rosa *'Bantry Bay'.*

niet gesnoeid te worden, maar groeit meestal zo wild dat snoeien noodzakelijk is. Indien zij voldoende ruimte krijgt, is het een fraaie, probleemloze klimplant.
Polygonum baldschuanicum gedraagt zich als *P. aubertii,* alleen zijn de bloemen wat groter en lichtroze en valt de bloei iets later.

Pueraria
Pueraria lobata kan als overblijvende plant in de serre gekweekt worden of als eenjarige plant buiten. Ze kan 5 m hoog worden en bloeit met lange trossen paarsrode, geurende bloemen. Daarna verschijnen de lange, dunne peulen.

Rhodochiton
Rhodochiton atrosanguineus is een bijzondere, groenblijvende klimplant, geschikt voor de koude kas. Ze wordt meestal als eenjarige gekweekt. Het blad is hartvormig met paarse vlekken. De bloemen hebben een purperrode kelk waaruit een lange, zwartpaarse bijkroon hangt, die eindigt in 5 uitstaande lobben. De plant bloeit zeer rijk in de nazomer en de herfst en is geschikt voor potten. Ze wordt meestal als plant aangeboden, maar laat zich ook goed zaaien.

Rosa
De roos is een zeer uitgebreid geslacht waartoe veel klimplanten behoren. Rozen klimmen met hun stekels, maar moeten wel aangebonden worden als ze tegen een muur of schutting worden geleid. Er zijn twee groepen klimrozen. De doorbloeiende klimrozen en de één maal bloeiende klimrozen. Voor de laatste groep heeft men in Engeland de naam ramblers, die hier steeds meer gebruikt wordt. Hieronder volgt een keuze uit het zeer uitgebreide sortiment.

Doorbloeiende klimrozen
- 'Abraham Darby' Engelse roos. Abrikooskleurig
- 'Altissimo' Goede rode klimroos. Geurt niet, bloeit rijk.
- 'Bantry Bay' Roze, halfgevulde roos.
- 'Climbing Schneewittchen' Halfgevulde witte bloemen. Mooie klimroos.
- 'Compassion' Perzikkleurige bloemen.
- 'Dortmund' Sterke klimroos met groot donkergroen, glanzend blad. De enkele, rode bloemen hebben een wit hart.
- 'Elegance' Mooie bloemen, die beginnen als een lange, gele knop

en opengaan tot een citroengele roos. Glanzend groen blad. Wordt 4-5 m hoog.

- 'Golden Showers' Lichtgele, halfgevulde bloemen. Wordt niet hoog. Bloeit bijzonder rijk.
- 'Händel' Gevulde bloemen, wit met donkerroze rand.
- 'New Dawn' Lichtroze bloemen. Zeer sterke, veel aangeplante klimroos. De groei is krachtig. Het is een van de meest ziektevrije rozen.
- 'Parade' Grote, gevulde, donker ceriseroze bloemen. Bloeit zeer uitbundig.
- 'Paul's Scarlet Climber' Rode, gevulde bloemen
- 'Pink Cloud' Donkerroze, gevulde bloemen.
- 'Pink Ocean' Grote, roze bloemen.
- 'Sympathie' Geurende,

fluweelrode bloemen.
- 'Zéphirine Drouhin' Bourbonroos uit 1868, onovertroffen door de moderne klimrozen. Sterk geurende fuchsiaroze rozen. Rijkbloeiend.

Eén maal bloeiende klimrozen, ramblers

- 'Adelaïde d'Orleans' Trosjes geurende halfgevulde witte bloemen. Zeer geschikt voor boog of pergola.
- 'Alberic Barbier' Zeer sterke groeier met trossen gevulde crèmekleurige bloemen.
- 'Albertine' De zalmrode knoppen zijn bij opengaan koperkleurig roze. Zeer bekende, sterke roos, die uitbundig bloeit.
- 'American Pillar' Donkerroze enkele bloemen met een wit hart. Bloeit in grote trossen.

Rosa 'Pink Cloud'.

- 'Bleu Magenta' Kleine, violette bloemen, die naar diep mauve en grijs verkleuren.
- 'Blush Noisette' Bloeit uitbundig met lila bloemen. Wordt tegen een muur geleid 3,5 m hoog.
- 'Bobbie James' Kleine witte, half gevulde bloemen in grote trossen. Geschikt om in een boom te groeien.
- 'Climbing Lady Hillingdon' Een van de beste klimmende theerozen, abrikoosgeel. Sterke groeier tegen een beschutte muur.
- 'Climbing Mme Caroline Testout' Bloeit rijk met grote roze, gevulde bloemen.
- ' Constance Spry' Donkerroze, gevulde bloemen. Bloeit aan het begin van de zomer zeer uitbundig. Engelse roos.

Rubus fruticosus, *braam.*
Een klimplant met eetbare vruchten.

Rosa '*Zephirine Drouhin'.*

- 'Coral Dawn' Zachtroze, grootbloemige klimroos.
- 'Dorothy Perkins' Grote trossen met kleine roze bloemen.
- 'Excelsa' Grote trossen met gevulde, kleine, rode bloemen.
- 'Félicité et Perpetué' Vrij kleine roomwitte bloemen. Bloeit uitbundig. Mooi, donkergroen blad. Kan zelfs tegen een noord-muur groeien.
- 'Kiftsgate' Zeer sterk groeiende roos. Wordt veel gebruikt in bomen.
- 'Francois Juranville' Krachtig groeiende rambler met koraal-rode bloemen met een donkerder hart. Geschikt voor pergola's, niet tegen een muur, waar er meeldauw kan ontstaan.
- 'Madame Alfred Carrière' Witte klimroos met grote komvormige, geurende bloemen.

- 'Maigold' Zeer sterke klimroos, die het goed doet onder de moeilijkste omstandigheden. Sterk geurende, halfgevulde bronsgele bloemen.
- 'Mermaid' Een van de mooiste klimrozen met zachtgele, enkele, geurende bloemen.
- 'Paul's Himalayan Musk' Een van de mooiste ramblers. Wordt meer dan 10 m hoog. Geschikt voor pergola's of in bomen. De kleine, zachtroze, rozetachtige bloemen zitten in grote open trossen.
- 'Rambling Rector' Zeer rijk bloeiende roos met trossen room-witte, halfgevulde bloemen. Geschikt om in bomen en over heesters te groeien.
- 'Seagull' zeer veel aangeplante roos. Kan 5 m hoog worden. Geschikt voor in een boom. Trossen met enkele witte bloemen.

- 'Veilchenblau' Bijzondere paarsblauwe, dubbele, kleine bloemen met een wit hart. De kleur verandert als de bloe-men ouder worden. Is mooier van kleur in de schaduw.
- 'Wedding Day' Trossen met geurende, abrikooskleurige knoppen waaruit witte, enkele bloemen komen.
- 'White Dorothy' Witte, gevulde bloemen in grote trossen.

Rubus

Rubus henryi is een groenblijvende houtige klimplant, die voornamelijk om de bladeren wordt gekweekt. Ze kan 6 m hoog worden. De blade-ren zijn glanzend donkergroen. *Rubus henryi* var. *bambusarium* heeft sierlijker, drietallig blad. *Rubus fruticosus* (braam) Zowel de wilde soort als de cultivars vormen

zeer sterke groeiers met eetbare vruchten, bramen. Ze kan goed toegepast worden in een wat wildere beplanting.

Rubus phoenicolasius (Japanse wijnbes) heeft zeer stekelige rode takken. Aan eenjarige scheuten komen eetbare, framboosachtige bessen.

Schisandra

Schisandra chinensis is een vrij onbekende bladverliezende, houtige klimplant die eind voorjaar met witte bloemen bloeit. De vrouwelijke plant krijgt, mits er een manlijk exemplaar in de buurt staat, aan het eind van de zomer rode vruchten.

Schisandra rubrifolia is houtig en bladverliezend met hangende donkerrode bloemen.

Het blad heeft een aantrekkelijke herfstkleur. Ze groeit het liefst in lichte schaduw. Het duurt een aantal jaren voor de plant goed gaat groeien, maar ze wordt uiteindelijk 5 m hoog.

Schizophragma

Schizophragma hydrangeoides is houtig, zelfhechtend en nauw verwant aan de klimhortensia en hiervan nauwelijks te onderscheiden. De bloeiwijze bestaat uit kleine witte of crème, fertiele bloemetjes, omringd door steriele bloemen die elk één ovaal of hartvormig wit schutblad hebben. De schutbladen worden bruin en blijven tot Kerst aan de plant. Ze verkiest volle zon, maar verdraagt lichte schaduw. Ze groeit in het begin wat moeilijk, maar is daarna een dankbare plant.

Schizophragma integrifolium heeft grotere bloeiwijzen en opvallende roomwitte schutbladen.

Solanum

Solanum crispum groeit snel, is half heesterachtig, half-wintergroen en kan buiten tegen een zeer beschutte muur worden gekweekt. De stervormige paarsblauwe bloemen met afstekende gele meeldraden zitten in trosjes bij elkaar. Ze wenst een plaats in de volle zon of lichte schaduw en kan uitstekend in de serre.

Solanum crispum 'Glasnevin' is de meest gekweekte cultivar met grotere bloemen dan de soort.

Solanum dulcamara (bitterzoet) is windend en inheems. Ze komt voor aan bosranden, waterkanten en in de duinen. De bloemen zijn blauwpaars en de eivormige bessen scharlakenrood. Ze is geschikt voor een natuurlijke tuin. De bessen zijn, zoals altijd bij de nachtschade-achtigen, giftig. Bitterzoet is een drachtplant voor honingbijen.

Sollya heterophylla.

Pagina hiernaast: Solanum crispum.

Rubus phoenicolasius, *Japanse wijnbes.*

Solanum dulcamare 'Variegatum' is een bontbladige bitterzoet, geschikt voor muren, hekken en pergola's. Ze bloeit met paarsblauwe bloemen, maar ontleent haar sierwaarde aan het blad. In de herfst sterft ze, net als de wilde bitterzoet, boven de grond geheel af en loopt het volgend voorjaar weer uit. Ze wordt niet hoger dan 2,5 m. *Solanum jasminoides* is half-groenblijvend met rankende stengels. Ze is zeer vorstgevoelig en verdraagt geen temperaturen beneden 5 °C. Het is een uitstekende plant voor de serre of als kuipplant. De blauwwitte tot grijsblauwe bloemen zijn zeer geurig en zitten in vertakte trossen. *Solanum jasminoides* 'Album' mag in geen enkele serre ontbreken. Ze bloeit zeer lang en uitbundig met zuiverwitte, heerlijk geurende, stervormige bloemen.

Sollya

Sollya heterophylla is wintergroen, vorstgevoelig en geschikt voor de serre. De plant bloeit met klokvormige hemelsblauwe bloemen.

Stauntonia

Stauntonia hexaphylla is niet-winterhard, wintergroen en windend. De bladeren zijn vlezig en de plant bloeit in het voorjaar met geurende witte bloemen, die violet getint zijn. Na een zonnige zomer verschijnen eivormige, eetbare, paarse vruchten, die 5 cm lang kunnen worden.

Stephanotis

Stephanotis floribunda (bruidsbloem) wordt verkocht als bloeiende kamerplant. De heerlijk geurende bloemen werden veel voor bruidsboeketten gebruikt. De plant is in de kamer moeilijk weer in bloei

te krijgen en doet het in de serre veel beter.

Streptosolen

Streptosolum jamesonii uit Colombia kan in de volle grond van de serre 3-4 m hoog worden. In het voorjaar bloeit de plant met trossen feloranje bloemen. In een pot blijft ze lager. Snoei haar na de bloei om haar binnen de perken te houden. Bescherm haar 's zomers tegen felle zon.

Tecomaria

Tecomaria capensis is vorstgevoelig, wintergroen en heeft fijn geveerd blad. De trossen oranjerode trompetbloemen zijn zeer opvallend. Ze kan op een zonnige beschutte plaats in de zomer buiten, maar moet binnen vorstvrij overwinteren. Ze is geschikt voor een serre.

Thunbergia

Thunbergia alata (Suzanne-met-de-mooie-ogen) is een vaste, vorst-gevoelige plant, die altijd als eenjari-ge 's zomers buiten wordt gekweekt. Ze wordt ook verkocht als kamer-plant, maar komt buiten in de grond veel beter tot haar recht.

Zaad wordt meestal als mengsel aangeboden: 'Florist Mixture'. Hieruit komen planten met witte, gele of oranje bloemen met een zwart oog.

Ze eisen wel een beschutte en zonnige standplaats en voldoende water. Ze zullen dan van juni tot oktober bloeien.

Thunbergia grandiflora is een van de mooiste planten voor de serre. De plant bloeit zeer rijk met paarsblauwe trompetbloemen met een gele keel.

Trachelospermum

Trachelospermum asiaticum is een van de geurigste klimplanten, maar in ons klimaat helaas niet geheel winterhard.

Vooral jonge planten kunnen slecht tegen vorst. Ze is wel geschikt voor de serre. Deze soort heeft donkergroen, glanzend blad en lichtgele bloemen.

Trachelospermum asiaticum 'Aureum' is geelbladig.

Trachelospermum asiaticum 'Goshiki Chirimen' heeft lichtgele bloemen.

Trachelospermum asiaticum 'Tricolor' heeft lichtgele bloemen.

Trachelospermum jasminoides (sterjasmijn) is groenblijvend en geschikt voor de serre. De bladeren en bloemen zijn groter dan van *T. asiaticum*. De bloemen zijn wit en geuren sterk.

Tecomaria capensis.

Trachelospermum jasminoides 'Variegatum' is de bonte vorm met witgerand en gevlekt, grijsgroen blad, waartegen de bloemen niet erg opvallen.

Tropaeolum

Tropaeolum majus (Oostindische kers) heeft rankende rassen die als klimplanten worden gebruikt. De planten met de ronde bladeren en trompetvormige gele tot oranje bloemen kunnen meterslange ran-ken maken. Zelfs op de meest ver-waarloosde en armste grond doen deze eenjarige planten het goed. De planten worden gezaaid. De jonge vruchtjes kunnen als kappertjes in het zuur ingemaakt worden.

Tropaeolum majus 'Gleam Hybrids' is een mengsel van allerlei kleuren.

Vitis amurensis.
Boven: Trachelospermum jasminoides.
Tropaeolum peregrinum, *kanariekers.*

Tropaeolum peregrinum (kanariekers) is eenjarig, wordt uit zaad gekweekt en kan 4 m hoog worden. Ze heeft decoratieve gele, gefranjerde bloemetjes en mooi gevormd blad.
Tropaeolum speciosum is een bijzondere plant, die niet geheel winterhard is. De stengels sterven elk jaar af en de plant blijft, alleen in zachte winters, onder de grond over met een knol. De knol kan binnen vorstvrij overwinteren. Door de bijzondere rode bloemkleur en het decoratieve blad is ze zeer geschikt om over taxushagen te klimmen. Ze heeft blauwe vruchten.
Tropaeolum tuberosum is een kruidachtige klimmer met vlezige wortelstokken. De plant groeit meer dan 3 m in één seizoen en sterft dan boven de grond af. De wortelstokken moeten vorstvrij bewaard worden of zeer goed afgedekt.

Tropaeolum tuberosum 'Early' heeft grijsgroen blad en bloeit van september tot begin november met oranjegele, gespoorde bloemen.
Tropaeolum tuberosum 'Ken Aslet' bloeit een maand vroeger met oranjerode bloemen.

Vitis
Tot deze bladverliezende klimmers horen niet alleen veel, in de herfst verkleurende, sierplanten, maar ook de druiven. Druiven kunnen goed een pergola bedekken of tegen een muur groeien. Zorg wel voor druiven die speciaal voor ons klimaat geschikt zijn. Zo hebt u een klimplant die heerlijke vruchten levert.
Vitis amurensis is bladverliezend, houtig en heeft donkergroene drie- tot vijflobbige grote bladeren, die in de herfst mooi oranjerood verkleuren.

Vitis 'Boskoops Glorie' is een van de bekendste blauwe buitendruiven.
Vitis coignetiae (Japanse wijnstok) groeit zeer krachtig met hechtranken en houtachtige stengels. Het grote blad is aan de onderkant bruinbehaard en in de herfst felrood gekleurd. Ze kan 15 m hoog worden en groeit het liefst in lichte schaduw, maar verdraagt zon. Ze doet er twee jaar over om goed te gaan groeien, maar is daarna niet meer te stoppen.
Vitis vinifera 'Brant' krijgt kleine trosjes zoete druiven en kan over bomen en struiken te groeien. De plant kan na twintig jaar een oppervlak van 10 x 10 m bedekken met haar mooie bruinpaarse herfstkleur.
Vitis vinifera 'Purpurea' heeft drie- tot vijflobbig donkerrood blad en kleine trosjes druiven in de herfst. Ze groeit het best in de volle zon, maar verdraagt schaduw.

Blauweregen is en blijft een van de fraaiste gevelbegroeiers.

Boven: Blauweregen kan erg oud worden.

Links: De druif is niet alleen geliefd om haar vruchten, maar ook om haar blad.

Vitis vinifera 'Witte van der Laan' is onder veel namen bekend (Chasselas, Queen Victoria, Vroege Witte van der Laan).
Het is een sterke plant waarvan de druiven vrij vroeg rijp zijn.
De bloeitijd valt laat, zodat de kans op nachtvorst klein is. Het is een van de bekendste witte-druiverassen voor buiten.

Wisteria

Deze bladverliezend, houtige klimplanten worden om hun mooie bloemen gekweekt.
Wisteria floribunda (Japanse blauwe regen) De stengels winden met de klok mee. De plant bloeit begin zomer met heerlijk geurende lavendellila vlinderbloemen in lange trossen en kan wel 10 m hoog worden. Ze kan tegen een muur worden geleid of over een (brug)leuning of pergola. Ze heeft volle zon nodig om te kunnen bloeien. Er zijn ook wit- en rozebloeiende cultivars: *Wisteria floribunda* 'Alba' en *W. floribunda* 'Snow Showers' en *Wisteria floribunda* 'Longissima Alba; zijn wit.
Wisteria floribunda 'Lipstick' en 'Pink Ice' zijn roze. *Wisteria floribunda* 'Rosea' is mauve.
Wisteria floribunda 'Macrobotrys' is de spectaculairste blauwe cultivar, waarvan de trossen tot 1-1,5 m lang kunnen worden.
Wisteria floribunda 'Violacea Plena' heeft dubbele lila bloemen.
Wisteria sinensis (Chinese blauwe-regen) De stengels winden tegen de klok in. Deze soort groeit nog krachtiger dan de Japanse en kan 30 m hoog worden. Ze geurt ook meer en bloeit in het voorjaar, gelijk met het uitlopende blad, en vaak nogmaals aan het eind van de zomer.
Wisteria sinensis 'Alba' is wit en geurt bijzonder lekker.
Wisteria sinensis 'Prematura' is lila en bloeit vroeg in het jaar.
Wisteria sinensis 'Prolific' bloeit overdadig met langere, lila trossen.

Klimplanten-overzicht

In het vorige hoofdstuk kunt u van

de klimplanten allerlei gegevens vinden;

hier staan ze uitsluitend gerangschikt

naar toepassingsmogelijkheden.

Zo kunt u snel zien welke klimplant voor

uw situatie het geschiktst is.

Snelle groeiers
Actinidia arguta
Ampelopsis brevipedunculata
Celastrus
Clematis alpina
Clematis armandii
Clematis montana
Clematis orientalis
Clematis vitalba
Hedera
Humulus
Lonicera x americana
Lonicera etrusca
Lonicera japonica
Lonicera periclymenum
Parthenocissus henryana
Passiflora caerulea
Phaseolus coccineus
Plumbago auriculata
Polygonum aubertii
Polygonum baldschuanicum
Tropaeolum majus
Verschillende klimrozen

Vitis vinifera
Wisteria floribunda
Wisteria sinensis

Klimplanten die een muur plat bedekken
Actinidia kolomikta
Akebia quinata
Ampelopsis brevipedunculata
Ampelopsis brevipedunculata 'Elegans'
Berberidopsis corallina
Clematis alpina
Clematis armandii
Clematis x jouiana
Clematis macropetala
Clematis rehderiana
Clematis viticella
Veel grootbloemige clematis-hybriden
Cobaea scandens
Decumaria barbara
Eccremocarpus scaber

Euonymus fortunei
Hedera
Parthenocissus henryana
Parthenocissus quinquefolia
Parthenocissus tricuspidata
Trachelospermum
Tropaeolum majus
Tropaeolum peregrinum
Tropaeolum speciosum
Tropaeolum tuberosum

Klimplanten voor de volle zon
Actinidia kolomikta
Campsis
Clematis armandii
Cobaea scandens
Humulus lupulus 'Aureus'
Ipomoea tricolor
Lathyrus odoratus
Lonicera etrusca
Passiflora
De meeste klimrozen en ramblers
Solanum crispum

Rosa *'Pink Cloud'*.
Boven: Plumbago auriculata.
Links: Oostindische kers combineert heel goed met harde materialen en andere planten.
Pagina hiernaast: Campsis *x* tagliabuana *'Madame Galen'.*

Tecomaria
Tropaeolum peregrinum
Vitis vinifera
Wisteria

Klimplanten voor de schaduw
Adlumia fungosa
Akebia quinata
Berberidopsis corallina
Celastrus orbiculatus
Clematis alpina
Clematis macropetala
Clematis montana
Hedera
Hydrangea petiolaris
Lonicera
Parthenocissus
Schisandra chinensis
Schizophragma integrifolium
Trachelospermum
Vitis coignetiae

Klimplanten voor de serre
Allamanda cathartica
Ampelopsis brevipedunculata
'Elegans'
Anrederia cordifolia
Anrederia davidii
Aristolochia littoralis
Asarina barclaina
Asarina erubescens
Bignonia capreolata
Billardiera longifolia
Bougainvillea
Clematis armandii
Eccremocarpus scaber
Fremontodendron
Gelsemium
Gloriosa superba
Hardenbergia comptonia
Hibbertia scandens
Hoya carnosa
Ipomoea lobata
Jasminum beesianum
Jasminum officinale

Jasminum polyanthum
Jasminum x stephanense
Kadsura
Kennedia
Lablab
Lapergia rosea
Mandevilla
Passiflora
Periploca gracea
Plumbago auriculata
Pueraria lobata
Rhodochiton atrosanguineus
Solanum
Sollya hetrophylla
Stauntonia hexaphylla
Streptosolen jamesonii
Tecomaria capensis
Thunbergia grandiflora
Trachelospermum

Solanum jasminoides.
Boven: Bloem van Actinidia kolomikta.
Rechts: Actinidia chinensis, *kiwi.*
Pagina hiernaast: Ipomoea lobata.

Een- en tweejarigen (of eenjarig gekweekt)

Adlumia fungosa
Calonyction album
Cardiospermum halicacabum
Cobaea scandens
Cucurbita pepo
Cucurbito maxima
Cyclanthera pedata
Hibbertiana scandens
Humulus scandens
Ipomoea lobata
Ipomoea tricolor
Oxypetalum caeruleum
Rhodochiton atrosanguineus
Thunbergia alata
Thunbergia grandiflora
Tropaeolum majus
Tropaeolum peregrinum

Klimplanten met een mooie herfstkleur

Actinidia arguta
Actinidia chinensis
Actinidia kolomikta
Akebia quinata
Ampelopsis brevipedunculata
Aristolochia macrophylla
Celastrus orbiculatus
Clematis alpina
Clematis macropetala
Clematis orientalis
Decumaria barbara
Hydrangea petiolaris
Parthenocissus
Passiflora caerulea
Solanum crispum
Tropaeolum majus
Tropaeolum peregrinum
Tropaeolum tuberosum
Vitis
Wisteria

Groenblijvende en half-groenblijvende klimplanten

Berberidopsis corallina
Clematis armandii
Euonymus fortunei
Fremontodendron californicum
Hedera
Lonicera japonica
Mandevilla suaveolens
Pileostegia viburnoides
Solanum crispum
Solanum jasminoides
Sollya heterophylla
Trachelospermum

Zelfhechtende klimplanten

Campsis
Euonymus fortunei
Hedera
Hydrangea petiolaris
Parthenocissus
Pileostegia viburnoides
Schizophragma hydrangeoides

Akebia quinata.

Campsis radicans.

Klimplanten met geurende bloemen
Akebia quinata
Clematis montana
Hoya carnosa
Jasminum beesianum
Jasminum officinale
Jasminum polyanthum
Jasminum x *stephanense*
Kadsura japonica
Klimrozen (hieronder zijn veel geurende rassen)
Lathyrus lathyfolius
Lonicera x *americana*
Lonicera caprifolium
Lonicera etrusca
Lonicera x *heckrotti*
Lonicera japonica
Lonicera periclymenum
Mandevilla x *amabilis*
Mandevilla suaveolens
Stauntonia hexaphylla
Stephanotis floribunda
Trachelospermum
Wisteria

Klimplanten als bodembedekker
Ampelopsis
Campsis grandiflora
Campsis radicans
Clematis alpina
Clematis integrifolia
Clematis x *jouiniana*
Clematis macropetala
Hedera
Hydrangea petiolaris
Lonicera
Parthenocissus
Schizophragma hydrangeoides
Vitis

Klimplanten voor pergola's
Actinidia arguta
Actinidia kolomikta
Ampelopsis aconitifolia
Aristolochia macrophylla

Clematis
(kleinbloemig en grootbloemig)
Cobaea scandens
Euonymus fortunei
Humulus lupulus 'Aureus'
Lonicera x *brownii*
Lonicera caprifolium
Lonicera periclymenum
Rozen, doorbloeiende klimrozen
Wisteria

Klimplanten voor bogen
Aristolochia macrophylla
Clematis, kleinbloemig en grootbloemig
Lonicera caprifolium
Lonicera periclymenum
Rozen, vooral de één maal bloeiende klimrozen (ramblers)
Vitis vinifera, verschillende rassen
Wisteria

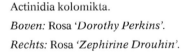

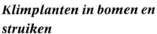

Actinidia kolomikta.
Boven: Rosa *'Dorothy Perkins'*.
Rechts: Rosa *'Zephirine Drouhin'*.

Klimplanten in bomen en struiken

Bryonia
Celastrus orbiculatus
Clematis, vooral kleinbloemige
Euonymus fortunei
Hedera
Hydrangea petiolaris
Lonicera periclymenum
Polygonum aubertii
Polygonum baldschuanicum
Rozen, vooral de één maal
bloeiende (ramblers)
Tropaeolum speciosum
Vitis coignitae
Wisteria

Vorstgevoelige klimplanten

Deze planten kunnen alleen op een
zeer beschutte plaats tegen een zonnige muur buiten groeien en hebben
in de winter bedekking nodig.
Ampelopsis brevipedunculata

'Elegans'
Anrederia cordifolia
Eccremocarpus scaber
Fremontodendron californicum
Jasminum officinale
Solanum crispum

Klimrozen
Witte klimrozen
'Alberic Barbier' (crème)
'Bobbie James'
'Climbing Schneewittchen'
'Felicité et Perpétue'
'Händel' (met roze rand)
'Kiftsgate'
'Madame Alfred Carrière'
'Rambling Rector'
'Seagull'
'Wedding Day'
'White Dorothy'

Roze klimrozen
'Albertine'

'Bantry Bay'
'Blush Noisette' (lila)
'Climbing Mme Caroline Testout'
'Coral Dawn'
'Dorothy Perkins'
'New Dawn'
'Parade'
'Paul's Himalayan Musk'
'Pink Cloud'
'Pink Ocean'
'Veilchenblau'
'Zepherine Drouhin'

Rode klimrozen
'American Pillar'
'Dortmund'
'Excelsa'
'Francois Juranville'
'Paul's Scarlet Climber'
'Sympathie'

Gele klimrozen
'Abraham Darby'

Clematis rond heksenbal.

Rosa *'Golden Showers'*.

'Climbing Lady Hillingdon'
'Compassion'
'Elegance'
'Golden Showers'
'Maigold'
'Mermaid'

Clematis in kleuren

Om de keus van een clematis eenvoudiger te maken, volgen hier
enkele lijsten van kleinbloemige en
grootbloemige clematis, gerangschikt op kleur. Hierbij moet echter
wel opgemerkt worden dat het kleu-
renspectrum van de clematis veel
uitgebreider is dan de kleuren
blauw, roze, wit, rood en geel. De
exacte kleur kunt u opzoeken bij
'Klimplanten van A tot Z'.

Kleinbloemige blauwe clematis
Clematis alpina
Clematis alpina 'Columbine'

Clematis alpina 'Frances Rivis'
Clematis alpina 'Helsingborg'
Clematis alpina 'Pamela Jackman'
Clematis integrifolia
Clematis macropetala
Clematis macropetala 'Blue Bird'
Clematis macropetala 'Lagoon'
Clematis macropetala
'Maidwell Hall'
Clematis pitcheri
Clematis viticella
Clematis viticella 'Etoile Violette'

Grootbloemige, blauwe clematis
'Boskoop Beauty'
'Generaal Sikorski'
'Gipsy Queen'
'Hakuôkan'
'H.F. Young'
'Jackmanii'
'Jackmanii Superba'
'Lady Betty Balfour'
'Lady Northcliffe'

'Lawsoniana'
'Mrs. N. Thompson'
'Mrs. P.B. Truaux'
'Mrs. Spencer Castle'
'Perle d'Azur'
'Prince Charles'
'The President'
'Silver Moon'
'Star of India'
'Twilight'
'Victoria'
'Vino'
'Violet Charm'
'Vivia Pennell'
'William Kennett'

Kleinbloemige roze clematis
Clematis armandii
'Apple Blossom'
Clematis macropetala
'Markham's Pink'
Clematis macropetala
'Rosy O'Grady'

Clematis viticella *'Etoile Violette'*.

Boven: Clematis potaninii
'Paul Farges'.

Rechts: Clematis *'Nelly Moser'*.

Clematis montana 'Elizabeth'
Clematis montana 'Majorie'
Clematis montana 'New Dawn'
Clematis montana 'Picton's Variety'
Clematis montana 'Pink Perfection'
Clematis montana 'Rubens'

Grootbloemige roze clematis
'Capitaine Thuilleaux'
'Carnaby'
'Comtesse de Bouchaud'
'Corona'
'Hagley Hybrid'
'Joan Picton'
'John Paul II'
'John Warren'
'Nelly Moser'
'Pink Fantasy'

Kleinbloemige witte clematis
Clematis alpina 'Burford White'
Clematis armandii
Clematis armandii 'Snowdrift'

Clematis integrifolia
Clematis x *jouiana*
Clematis macropetala
'White Swan'
Clematis montana 'Alexander'
Clematis montana f. grandiflora
Clematis potaninii
Clematis potaninii 'Paul Farges'
Clematis recta
Clematis recta 'Grandiflora'
Clematis recta 'Purpurea'
Clematis tangutica 'Anita'
Clematis vitalba
Clematis viticella 'Alba Luxurians'
Clematis viticella 'Minuet'

Grootbloemige witte clematis
'Duchess of Edinburg'
'Henryi'
'Huldine'
'Madame Le Coultre'
'Miss Bateman'
'Sylvia Denny'

Kleinbloemige rode clematis
Clematis alpina 'Ruby'
Clematis fusca
Clematis macropetala 'Rödklokke'
Clematis montana
'Broughton Star'
Clematis texensis
Clematis texensis
'Gravetye Beauty'
Clematis texensis
'Duchess of Albany'
Clematis viticella 'Kermesina'
Clematis viticella
'Purpurea Plena Elegans'
Clematis viticella 'Rubra'

Grootbloemige rode clematis
'Barbara Dibley'
'Crimson King'
'Dr Ruppell'
'Kathleen Dunford'
'Niobe'
'Rouge Cardinal'

Clematis tangutica *'Bill Mackenzie'*.

'Sealand Gem'
'Ville de Lyon'
'Warszawska Nike'

Kleinbloemige, gele clematis

Clematis orientalis
'Bille Mackenzie'
Clematis orientalis 'Bravo'
Clematis orientalis 'Corry'
Clematis orientalis 'Orange Peel'
Clematis rehderiana
Clematis tangutica
Clematis tangutica 'Helios'

Clematis in snoeigroepen

De grootbloemige hybriden van de clematis worden volgens de bloeitijd in drie groepen verdeeld. Met deze bloeitijd hangt de snoei samen.

Grootbloemige clematishybriden
Groep 1
Bloei: mei juni, soms in september nabloei
Snoei: Indien nodig, direct na de hoofdbloei.
'Barbara Dibley'
'Barbara Jackman'
'Capitaine Thuilleaux'
'Corona'
'Dr Ruppel'
'Duchess of Edinburg'
'Hakuôkan'
'H.F. Young'
'Joan Picton'
'Kathleen Dunford'
'Miss Bateman'
'Mrs. N. Thompson'
'Mrs. P.B. Truaux'
'Nelly Moser'
'The President'
'Vyvyan Pennell'

Grootbloemige clematishybriden
Groep 2
Bloeitijd: eind juni en juli, soms tot oktober nabloeiend
Snoei: indien noodzakelijk, direct na hoofdbloei.
'Boskoop Beauty'
'Carnaby'
'Crimson King'
'General Sikorski'
'Henryi'
'John Warren'
'Lady Northcliffe'
'Lawsoniana'
'Madame Le Coultre'
'Sealand Gem'
'Silver Moon'
'Victoria'
'Vino'
'Violet Charm'
'Warszawska Nike'
'William Kennett'

Lonicera *x* brownii *'Dropmore Scarlet'*.

Grootbloemige clematishybriden

Groep 3

Bloeitijd: juli-september

Snoei: eind winter

'Comtesse de Bouchaud'

'Gipsy Queen'

'Hagley Hybrid'

'Huldine'

'Jackmanii'

'Jackamnii Superba'

'John Paul II'

'Lady Betty Balfour'

'Mrs. Spencer Castle'

'Niobe'

'Perle d' Azur'

'Pink Fantasy'

'Prince Charles'

'Rouge Cardinal'

'Star of India'

'Sylvia Denny'

'Twilight'

'Ville de Lyon'

Literatuurlijst

Naamlijst van houtige gewassen,
H.J. van de Laar, Proefstation voor de Boomkwekerij 1989
Naamlijst van vaste planten,
H.J. van de Laar, Ing. G. Fortgens, Proefstation voor de
Boomkwekerij, Boskoop, 1990
Handwörterbuch der Pflanzennamen,
Zander, 13e druk
Plantenvinder voor de Lage Landen,
Terra 1994, Zoekboek bij welke kwekerijen planten te koop zijn.
*The Gardener's Illustrated Encyclopedia of Climbers & Wall
Shrubs,*
Brian Davis, Viking 1990
Clematis,
Andreas Bärtels, De Groene Bibliotheek, J.H. Gottmer 1994
Klimop,
Ingobert Heieck, De Groene Bibliotheek, J. H. Gottmer 1994
In de ban van de roos,
Roger Phillips, Teleac/Het Spectrum 1994

Nuttige adressen van kwekers en zaadleveranciers

Kwekerij Abbing
Odijkerweg 38 A/B
3709 JK Zeist
Houtige klimplanten

Belle Epoque
Oosteinderweg 489
1432 BJ Aalsmeer
Ouderwetse en zeldzame klimrozen

Cruydt-Hoeck
Postbus 1414
9701 BK Groningen
Zaden van eenjarige en overblijvende klimplanten

Kwekerij De Egelantier
Verlengde Boterdijk 10
9765 ED Paterswolde
Kuipplanten en bijzonder eenjarige
klimplanten

Fa. C. Esveld
Rijneveld 72
2771 XS Boskoop
Zeer groot sortiment houtige
klimplanten

Kwekerij Joghmanshof
Laageinde 3
4013 CT Kapel-Avezaath
Klimplanten, vooral kleinbloemige
clematis

Kwekerij Van de Kaa
Arnhemsestraatweg 14
6953 AX Dieren
Clematis

De Kleine Plantage
Handerweg 1
9967 TC Eenrum
Bijzondere eenjarige klimplanten,
clematis

Ch. Kreijen Kerkrade B.V.
v. Beethovenstraat 55
6461 AE Kerkrade
Klimrozen, clematis

Boomkwekerij Louis Lens
Redinnestraat 11
B-8460 Oudenburg, België
Klimrozen

Peter Nijsssen
Sportparklaan 25a
2103 VR Heemstede
Bijzondere bol- en knol-
klimplanten, clematis

Kwekerij Overhagen
Biljoen 6
6883 JH Velp
Groot sortiment eenjarige |
klimplanten

De Rhulenhof
Kleefseweg 14
6595 NN Ottersum
Klimmende oranjerieplanten

Kwekerij Sollya
Azalealaan 27
B-8200 Sint-Andries (Brugge), België
Bijzondere klimplanten voor de
serre

Jan Spek Rozen
Zijde 155
2771 EV Boskoop
Klimrozen

Tuinplantenkwekerij Stam
44 RI straat 10
4051 AR Ochten
Houtige klimplanten en klimrozen

Vrienden Arboretum Kalmthout
Heuvel 2
B-2920 Kalmthout, België
Houtige klimplanten

Arboretum Waasland
Kriekelaarstraat 29
B-9100 Nieuwkerken-Waas, België
Bijzondere houtige klimplanten,
vooral botanische soorten

Xotus
Postbus 139
2630 AC Nootdorp
Exotische en bijzondere
klimplanten

**Tuin en Kuipplantenkwekerij
'De Zonnebloem'**
't Hoefje 9
1733 AB Nieuwe Niedorp
Klimmende kuipplanten

Ir. Pieter Zwijnenburg
Halve Raak 18
2771 AD Boskoop
Zeer groot sortiment houtige
klimplanten

**Biologische gewasbescherming
Ecostyle**
Postbus 14
8426 ZM Appelscha

Voor vragen over biologische
gewasbestrijding:
Groenlijn van Eco-stijl,
05162-3131
werkdagen van 9 tot 12 uur

Fotoverantwoording

G. Bierma, Voorst: blz. 77, 138 links

M. Kurpershoek, Amsterdam: titelpagina, blz. 4, 6 onder, 7 boven, 8 links, 13 links, 24, 25, 26 onder, 27, 28 links, 29, 31 onder, 33 links, 34, 36 boven, 38 onder, 39 rechts, 42, 45 linksboven, 47 onder, 60 links, 61, 62 links, 69, 70, 71, 72, 74, 75, 78, 81, 82 links, 83, 84 links, 85 links, 88, 91, 99 links, 102 linksboven, 106 rechts, 107 rechtsboven, 108 links en rechtsonder, 109 rechtsboven, 115, 123 linksboven, 124, 125 links, 126, 129 rechts, 130 rechtsonder, 131, 133 links en rechtsonder, 134 links, 135, 136 links, 137 linksboven en rechts, 138 rechts

G. Otter, IJsselstein: blz. 5, 6 boven, 7 onder, 8 rechts, 9, 10, 11, 12, 13 rechts, 14, 15, 16, 17, 18, 19, 20, 21, 22, 23, 26 boven, 28 rechts, 30, 32, 33 rechts, 35, 36 onder, 37, 38 boven, 39 links, 40, 41, 43, 44, 45 rechtsboven en linksonder, 46, 47 boven, 48, 49, 50, 51, 52, 53, 54, 55, 56, 57, 58, 59, 60 rechts, 62 rechts, 63, 64, 65, 66, 67, 68, 73, 76, 79, 80, 82 rechts, 84 rechts, 85 rechts, 87, 89, 90, 92, 93, 94, 95, 96, 97, 98, 99 rechts, 100, 101, 102 linksonder en rechts, 103, 104, 105, 106 links, 107 links en rechtsonder, 108 rechtsboven, 109 links en rechtsonder, 110, 111, 112, 113, 114, 116, 117, 118, 119, 120, 121, 122, 123 rechts, 125 rechts, 127, 128, 129 links, 130 links en rechtsboven, 132, 133 rechtsboven, 134 rechts, 136 rechts, 137 linksonder, 139, 140, 141

N. Vermeulen, Groningen: blz. 31 boven

*Uitgever, auteur en fotografen danken de volgende personen/
instanties voor hun toestemming foto's te mogen maken:
Botanische tuin Uppsala, Zweden
Botanische tuin Helsinki, Finland
De Rhulenhof, Ottersum, serreplanten
De Orshof, België, serres*